朝日新書
Asahi Shinsho 138

# 一日一生

天台宗大阿闍梨
酒井雄哉



朝日新聞出版

2014. 2. 10.

一日一生

# 目次

第一章　一日一生　9

一日が一生、と思って生きる
身の丈に合ったことを毎日くるくる繰り返す
仏さんは、人生を見通している
足が疲れたなら、肩で歩けばいい
ありのままの自分としかっと向き合い続ける
人からすごいと思われなくたっていいんだよ
「一日」を中心に生きる
人は毎日、新しい気持ちで出会える

第二章　道　45

生き残ったのは、生き「残された」ということ

長い長い引き揚げの旅が教えてくれたこと
同じことを、ぐるぐるぐるぐる繰り返している
どんな目にあったとしても
人の心には闇がある
ある日突然、妻は逝ってしまった
人生の出会いはある日突然やってくる
仏が見せた夜叉の顔
自分は何のために生まれてきたのか、なにするべきか問い続ける
その答えを、一生考え続けなさい

## 第三章　行

87

衣を染める朝露も、いつしか琵琶湖にそそぐ
歩くことが、きっと何かを教えてくれる
知りたいと思ったら、実践すること
仏さんが教えてくれた親子の情愛

息を吸って、吐く。呼吸の大切さ
仏はいったいどこにいるのか
身の回りに宝がたくさんある
学ぶことと、実践することは両輪
ゆっくりと、時間をかけて分かっていくことがある

**第四章　命**　*125*

ほっこり温かな祖父母のぬくもり
大きな父の背中におぶわれた冬の日
子供はおぶったりおぶわれたりして育つ
夜店で母が隠した父の姿
心と心が繋がっていた父と母
東京大空襲の時に鹿児島で見た夢
死を目前とした兄と弟
一生懸命生きる背中を子供に見せる

命が尽きれば死んで、他の命を支えるんだよ

**第五章　調和**　159

桜は、精いっぱい咲いている
人は自然の中で生き、生かされている
重い荷物を負う中国の子供たちにみた「大志」
心のありようはいろいろなものに作用される
本当は同じものを見ているのかもしれない
命あるものはみな繋がっている
まだ、たったの三万日しか生きていないんだなあ

# 第一章　一日一生

# 一日が一生、と思って生きる

行《ぎょう》に入ると、毎朝毎朝、草鞋《わらじ》を履いて出て行く。登りが一〇キロ、わりと平坦な道が一〇キロ、下りが一〇キロの道を毎日ぐるぐる歩く。そうして一日山を歩き通して帰ってくると、草鞋がくたびれてボロボロになっている。翌日はまた、新しい草鞋を履いていかないといけない。

それを、毎日毎日、繰り返していたら、ある時、草鞋が自分に見えてきたんだ。

草鞋はボロボロになっちゃった。もし自分が草鞋だったら、今日でおしまいなんだなあって。明日になるとまた新しい草鞋を履く。それは、また生まれ変わるみたいだなあって。一日が終わって、また生まれ変わる。草履も人間も同じなんじゃないかなって。

山をトットコトットコ歩いている時は、動きの世界。一日履いた草鞋を脱いで、お経を上げたり、横になったりしている時は、静かな世界だ。静かな世界が終わると、朝になり、また動きの世界が始まる。動と静っていうのは背中合わせ。動があるから、静があり、静があるから、動がある。

人生で置き換えるなら、「動」というのは生きること。「静」というのは死の世界。生まれるから死んで、死ぬからまた生まれる。

今日の自分は草鞋を脱いだ時におしまい。そこからは明日生まれ変わるために、一生懸命反省すればいい。復習するわけだな。今日はなぜこういう悪いことがあったのか。じゃあ明日は二度と再び同じことは起こさないように努力しましようって……。

そしてまた、新しく蘇って出て行く。今日の自分は今日でおしまい。明日はまた新しい自分が生まれてくる。

一日が一生、だな。今日失敗したからって、へなへなすることない、落ち込むこともない、明日はまた新しい人生が生まれてくるじゃない。

それには、今日を大切にしなかったら、明日はありませんよっていうことでもある。今が一番大切だってことだよ。

今自分がやってることを一生懸命、忠実にやることが一番いいんじゃないのかな。

# 身の丈に合ったことを毎日くるくる繰り返す

実際の年齢よりもずいぶんお若く見えますねえ、とか、お肌がきれいですね、どうしているんですか、とよく聞かれるけど、健康でいられるのは、毎日毎日、同じように暮らしているのがいいんじゃないかな。

だいたい朝の三時半から四時ごろ起きて、滝に入って顔を洗って、バケツの水をずーっとお堂に配ってお清めして、本堂行ってお勤めをしている。

お客さんが来ればお相手したり、雑務などもして、夕方からお勤めして食事。

それから一、二時間ひと寝入りする。夜の零時半くらいまで、あれこれ仕事して。またちょっと寝て……。それを毎日毎日繰り返し繰り返し、くるっくる、くるっくる、やってるんだよ。

食べる量は少ないかもしれないな。一日二回、ソバや豆、野菜をちょっとずつ。間食はしない。あまりお腹すかないの。お茶一杯飲めば一食したような感覚になっちゃう。よく、みんなにね、「そんな生活して、だいぶお金残したでしょう」なんて言われるんだけど、それが、全然残んないんだよ。うまいことできてんねえ。

「二度の千日回峰行《せんにちかいほうぎょう》を経てどんな変化がありましたか」とよく聞かれるけど、変わったことは何にもないんだよ。みんなが思っているような大層なもんじゃない。行が終わっても何も変わらず、ずーっと山の中を歩いているしな。「比叡山での回峰行」というものでもって、大げさに評価されちゃってるんだよ。

戦後、荻窪の駅前でラーメン屋をやってたことがあるんだ。今でも材料あったらチャッチャッチャッチャッて作っちゃうよ。今と同じですよ。朝起きて、仕込んで、材料買いに行って、お昼にお店開けて、夜中に店閉めて、寝て、六時ごろに仕込みして。くるくるくるくるくる……。もしここに屋台あったらラーメン屋のおやじだな。形は違うけどやってることは同じなんだよ。

人間のすることで、何が偉くて、何が偉くないということはないんじゃないかな。仏さんから見ればみんな平等。自分の与えられた人生を大事に、こつこつと繰り返すことが大事なのじゃないかな。

みんなさ、背伸びしたくなるの、ねえ。自分の力以上のことを見せようと思って、ええかっこしようとするじゃない、だから、ちょっと足元すくわれただけでもスコーンといっちゃう。自分の身の丈に合ったことを、毎日毎日、一生懸命やることが大事なんじゃないの。人間から見た偉いとかすごいとかなんて、仏さんから見れば何にも変わらないから。

# 仏さんは、人生を見通している

ぼくの人生は、うまくいかないことの連続だったんだよ。
小学校や中学校は中途半端、兵隊に行けば落ちこぼれてうろうろしている間に終戦。戦後、アルバイトをすれば挫折する。ソバ屋もだめ、いろいろな仕事をするんだけれども、さっぱりうまくいかない。結婚すれば嫁さんが死んじゃって……。
ぐるぐるぐるぐるぐるしているうちに、最終的に仏さんの世話になるようなところに放り込まれちゃった。

人生はいったい、何なんだろうなあ、と時々思う。人はついその時その時のできごとで、喜んだりガッカリしたりしてしまうけれど、おそらく、人それぞれの流れがあるんじゃないかと思うんだよ。

たとえば、もしぼくが立派な家に生まれて、頭もできが良かったら、陸軍士官学校か海軍兵学校に行ったか、大学に入ったかして、おつとめをして、定年で退職して、まあそんな、真っ当な人生を送ったかもしれない。

だけど仏さんにしてみたらね、たぶん「こいつはただじゃ人生を終わらしたくない」っていうわけ。前世で相当あこぎなことでもしたんじゃないかなあ。変にいい頭を与えれば悪徳弁護士にでもなったかもしれない。だから、ゼロにしておいたんじゃないかと思うんだよ。

ぐるぐるぐるぐる回り道をさせて、いろんなことを味わわせた。こんな道を生きてくれれば、「これはもうざんげして、一生懸命、行でもやりましょうや」っていう気持ちにならざるを得ない。

それで仏さんの世界に来てみたら、いちおう順調にいろんなことが動き出したわけだ。学校が嫌いで嫌いでしょうがなかったのに、叡山学院に入れてもらったら首席で卒業しちゃった。卒業時には成績が良くて、天台座主賞をもろうてしまった。こんなことありえないよなあ。仏さんは、ぼくの人生を見通しているんじゃないのかなあって思う。

でも仏さんは「道は開いてやるけれど、後は自分でもって考えなさい」って言うんだな。簡単には人生の答えはくれない。だから、座礁しちゃ這い上がって、座礁しちゃ這い上がって、ずーっとあきらめないで、のっこのっこ、のっこのっこやってるわけですな。

# 足が疲れたなら、肩で歩けばいい

回峰行の師であった故・箱崎文応師が昔、子供のころに聞いたという小名浜の大泥棒の話をしてくれたことがある。

その大泥棒、なんと福島県の小名浜から夜な夜な宮城県の仙台まで歩いて泥棒に行ってたんだって。夜、仲間たちと居酒屋で酒飲んで、八時か九時くらいに家へ帰る。「帰ってきたよ」って家のものに言って、いったん寝る。みんなが寝ている間に起き出してね、仙台まで行って泥棒をして、明け方帰ってきて寝床に入

る。家の人が起きてくるころに同じように起きてきていたから、だれも気が付かなかったんだって。

そういうふうにして泥棒をはたらいていたんだけど、仙台のお医者さんのところへ入った時に、看護婦の女の人がいて見つかっちゃってね。「泥棒！」と、ものの見事に背負い投げで吹っ飛ばされちゃったんだって。「女の看護婦に投げ飛ばされるなんて、おれも焼きが回ったな」って、とうとう自首したんだって。

捕まって「お前、小名浜から仙台まで来て泥棒をやってまた小名浜に帰るなんて、いったいどうやって歩いてるんだ？」って聞かれたら「休み休みやっているから疲れないんだ」って説明したという。

どういうふうにうまく歩いたのかっていうと、右足、左足って、体のいろんな部分を交代で意識しながら歩くんだって。右が疲れてきたら左足、左が疲れてきたら右、という具合だね。いよいよ両足がくたびれたら腰、その次は首に意識を集中する。「今度は右の方、頼むぞ」とその部分に気持ちを集中して歩くんだって。そうして左の肩で歩いたり、右の肩で歩いたり。歩きながら肩を振ったりして、そこに精神を集中させる。その間に別のところがみんな休んでいるっていうわけだ。

そのうち疲れてきたら、今度はバトンタッチして、別のところに精神を集中して歩いていく。そういうふうにやってたから、スピードが落ちることなく、ずっと早足で行けたんだって。

老師は、ぼくが千日回峰行をやる時に、参考にしたらいいと言ってこの話をしてくれた。「おれもな、自分が回峰行をやるときに、この話を実行してやったんだけど、一つだけできないことがあった」という。「何ができませんでしたか」と聞くと、「首を振ったり肩を振ったりしながら歩くのは、なんぼやってもだめだったなあ」って笑ってた。

「お前も歩きながら休む方法を考えてみたらどうや」って。ぼくもまねしてやったけど、とてもそんな達人の域に行かなかったけどな。

人生を歩くっていうことにも、その原理を応用すればいいんじゃないのかな。人生って、こっちが疲れたら全部「しんどい」ってことになってしまいがちじゃない。考えを辛いことの一点に集中しすぎちゃうから、「こんな苦労はもうしたくない」なんて身を投げちゃうとか。じたばたしたって、どうにもならないところをどうにかしようとするから、疲れちゃうんだよ。

しんどいところは休ませておいて、違うところに精神を集中させてみる。「足は疲れてるから、今度は肩、頼むぞ」ってな。そうして歩けば、案外楽に、結構楽しく生きていけるんじゃないの。

# ありのままの自分としかっと向き合い続ける

「生き仏」なんていわれると、ぼくは気を付けないといけないなあと思う。たまたま比叡山に来て、比叡山に拾われて、比叡山で行をさせてもらったっていうだけのこと。一二〇〇年の歴史ある大きな舞台で行をさせてもらった。だからみんなからすごいと言われるんだ。普通の人と何も変わらないよ。

だって、同じことをたった一人で名もない山でやったのだったら、そんなことを言われるかい？　それなのに、みんなから「仏様」だなんて言われて、そうで

すかってふんぞり返っちゃったら、仏さんは怒るよねえ。

講演などの仕事でホテルへ行くでしょう。入り口にボーイさんが立ってるじゃない。小さくて古い車で乗り付けると、事務的に「ハイ、駐車場はあっち行ってこっち行って」ってぱっぱと言われるんだけど、いい車に乗せてもらって行くと、じつにうやうやしく挨拶され、丁寧に説明してくれたりなんかしてな。へえ、と驚くよ。結局、人はそんなもの。表面で見ちゃうんだな。

周りの自分への対応が変わると、自分が偉くなったような気がしちゃう。それ相応に扱ってくれと言い出したりね。そうなるとおごりが出てくるし、自分の心を磨かなくなる。現実に今とらわれている世界だけでもって勝負しようとしてしまうから表面ばかりが気になるが、人生は見えている世界だけではないからね。

自分の地金《じがね》は自分が一番よう分かっているでしょう。大事なのは、人からすごいと言われることじゃない。人間は金持ちでも貧乏でも、頭が良くてもできが悪くても、だれでもいつかは死ぬ。死んだら終わり。だれも変わらないんだ。大事なのは、今の自分の姿を自然にありのままにとらえて、命の続く限り、本当の自分の人生を生きることなんだな。

二千日回峰行、満行日の笑顔

# 人からすごいと思われなくたっていいんだよ

ぼくのところに来ると、みんな力が抜けちゃうみたい。会う前は、「なんだかすごい坊さんらしいぞ」なんて思って、緊張してカチカチになってやってくるから。こないだ訪ねて来た人もね、お堂を出たとたん、「安心したわー」なんて言ってたよ。「本当に行をしたんですか?」なんて聞く人もあるよ。「したことになってんですよねえ?」なんて、こっちも首をかしげたりしてな。

三十歳代も後半になってお寺の世界に入って、格式やらなんやら、お寺の嫌な

ところいっぱい見たからね。在家《ざいけ》で大阪から通っていたころは、坊さんの前に行ったら、じーっと襟を正して座ってお話を聞いて、坊さんは坊さんらしいふるまいをする。お客にもランクがあって、上等のランクが来ると、ぼくなんか無視されちゃう。そういうの見てて嫌だったからねえ、自分が坊さんになったらやめちゃった。まあ山歩いているうちにそういうのがじゃまくさくなって来ちゃったからなんだけど。

だから信者のおばさんたちからは「阿闍梨《あじゃり》さんらしくちゃんとしてください」って怒られちゃう。「ええんじゃ、おれはおれだ」なんて居直ったりして。こんなことといったら坊さんたちに怒られるけど、行をしたからすごいっていうことはないんだよ。何の行を満行しました、何やりましたっていうことばかり競っているんだったら、タイトルを取りっこしているようなもの。それはもう行じゃない。

いくらどんな行を何回やっても、何もつかむところがなかったら何の意味もないよな。それだったら、たった一日でもいい。深いところを味わいながら、丁寧に歩いてみる方がいいかもしれない。人が忘れていたことや、大切なことをちゃんと教えてくれるから。人からすごいと思われなくたって、いいんだよ。

# 「一日」を中心に生きる

「なぜ二度、千日回峰行をしたのですか」って聞かれて、「何もすることがなかったから」って答えると、あきれられるんだけど、本当に他にやることがなかったの。他にやることがあれば他のことやってたかもしれないけど。

小さい時からちゃんと勉強していないでしょう、いかんせん知識が乏しい。千日回峰行が一度終わって、また新しいことを何か始めたってすぐにボロが出ちゃう。

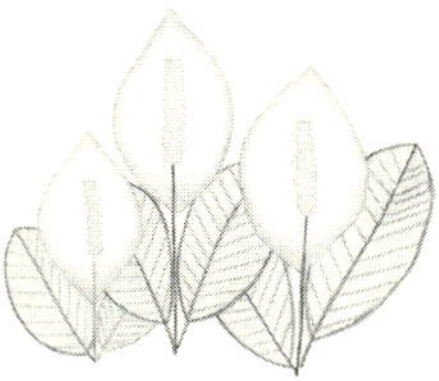

「らしく」みせたって、背伸びしたって、焦ったって、あわてたって、人間、自分の「地金」は必ず出てしまうものなんだよ。

ならば、「これだ」と自分で思ったことを繰り返しやっているのがいいんじゃないのって思った。それでもう一度千日回峰行をしたの。二度目も、ずーっとやっているうちに気が付いたらおしまいになっちゃった。二度終わったので、それからは日本のあちこちや、海外の聖地を歩いている。ずーっと同じようなことをやっているわけだな。

もちろん、物事には目標もあるしゴールもあるけれど、昨日何かが終わったからといって、突然、次の日に、今までと全然違う新しい世界が開けるなんて、人生はそういうもんじゃないよね。

でも何も変わらないようにみえても、自分自身はいつもいつも新しくなっている。毎日毎日生まれ変わっているんだよ。一日だって同じ日はないしな。

今日一日歩いた草鞋を脱ぐ。明日は新しい草鞋を履く。今日の自分はもう今日でおしまい。明日はまた再生される――。

だから、「一日が一生」と考える。「一日」を中心にやっていくと、今日一日全力を尽くして明日を迎えようと思える。一日一善、だっていい。一日、一日と思って生きることが大事なのと違うかな。

だから、何万キロとか何年とか言われても、昨日と同じようなことを繰り返してやっている、それだけのことなんだ。失敗したとかうまくいったとか、そういうことも思ったことないなあ。今日の自分は今日の自分のペースで歩いているんだしね。明日、また行くわけだよ。それを繰り返しやっているだけなんだ。

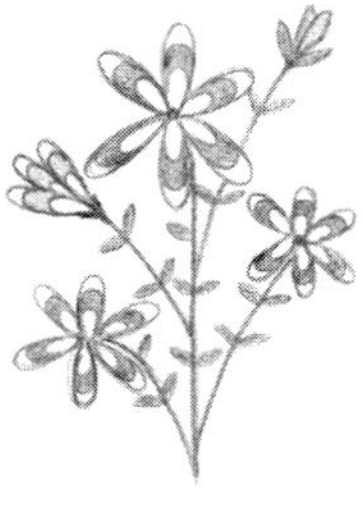

# 人は毎日、新しい気持ちで出会える

「一日が一生」という気構えで生きていくと、あんまりつまらないことにこだわらなくなるよ。今日の自分は今日の自分、明日の自分は明日の自分、と考えれば、今日よくないことがあっても引きずらなくてすむ。

あんなことを言われた、もうあの人と会いたくない……、そんなふうにクヨクヨ思っていると、翌日はもっと会いたくなくなる。向こうにも伝わって、互いに溝ができてしまうんだ。今日はちょっとした嫌なことだったかもしれない。それを明日あさって……と持ち越すから、心の中でどんどんふくらんで手が付けられなくなってしまう。

「今日のできごとは今日でおしまい」

そう思って、明日は新しい感覚で進んでいけばいい。落ち込んだって、なるようにしかならないんだから、気持ちよくしていたほうがいいじゃない。

けんかした相手や苦手な相手とすれちがう時には、堂々と出て行って「おはよう！」「こんにちは！」って言ってごらん。向こうがどんな顔しようと、向こうの勝手。こっちはニコニコしていればいいよ。

そういうふうに何回も何回もやってるうちに、あっちもしょうがないから返事するようになっちゃうよ。たとえ昨日、いけすかないなあと思った人とだって、一日一生、と思っていればまた新しい関係が生まれてくるじゃない。

今日のことは今日でおしまい。しこりを残さない。恨みを明日に引きずらない。それは国家同士であっても同じこと。一日一日、生まれ変わったつもりで、新しい気持ちで出会うことができれば、世界もきっと穏やかになるだろうね。

## ●比叡山

高野山とならぶ日本の仏教のさとであり、一二〇〇年以上の歴史を持つ天台宗の総本山。標高八〇〇メートルを超える二峰からなり、京都府と滋賀県にまたがる。「延暦寺」という名の建物はなく、この山一帯が天台宗の総本山の延暦寺と称される。山一帯が「境内」なのだ。

この山は、伽藍・根本中堂《こんぽんちゅうどう》がある東塔、開祖・最澄が眠る浄土院のある西塔、良源のお堂がある横川《よかわ》の三つのエリアと、明王堂や護摩堂のある無動寺谷、日吉大社や滋賀院門跡などがある坂本地区の、三塔十六谷に大別されている。

七八五年（延暦四年）、最澄は奈良東大寺で受戒し、比叡山に入った。七八八年（同七年）に手彫りの薬師像を安置し、一乗止観院《いちじょうしかんいん》という小寺院を建立したのが、延暦寺の礎になった。

その後、最澄は還学生《げんがくしょう》として唐に渡って修行し一年後に帰国、天台宗を開いた。最澄の没した翌年である八二三年、当時の元号にちなみ「延暦寺」の寺号を賜《たまわ》った。

比叡山からは、円仁、円珍を始め、源信、法然、慈円、親鸞、道元、日蓮などのそうそうたる人物を輩出、まさに日本仏教の母山となった。

戦国時代、比叡山が越前朝倉氏に荷担したため、織田信長によって焼き討ちされ、一五七一年、堂や塔のほぼすべてが焼失した。その後、豊臣秀吉や徳川家康によって保護され復興された。

山に籠もって修行する「籠山行《ろうざんぎょう》」と、拝みながら山谷を巡る「回峰行」の二つの厳しい行があり、それぞれ一〇〇〇年を超える伝統がある。

一九九四年には「古都京都の文化財」の一つとして、世界遺産に登録された。

＊　＊

京都駅からJR湖西線比叡山坂本駅からバスか徒歩で坂本ケーブルの坂本駅へ。展望台のある延暦寺駅まではケーブルで11分。徒歩10分ほどで根本中堂や東塔へ。延暦寺内はシャトルバスを利用すると便利。修行体験や、千日回峰行の一端を体験できる「一日回峰行」もある。

# 第二章　道

# 生き残ったのは、生き「残された」ということ

昔から勉強が嫌いでな。落ちこぼれだったんだ。小学校はさぼってばかり。出席日数も卒業するには半年くらい足りなかったんじゃないかな。まあ義務教育だから卒業さしてもらえたんだよ。次に中学校入ろうと思って麻布中学を受けたら落っこっちゃった。

しょうがないから慶應義塾商業学校（夜学校）に入れてもらった。学校には入れたけど、相変わらず勉強に身が入らないから、案の定落第生でね。

当時は太平洋戦争のまっただ中。だんだんと空襲も激しくなってきて、学校もいつなくなっちゃうかわかんないような状態になってきた。

そんな時、担任の先生に呼ばれたの。「学校もこんなだから君のことを落第させずに卒業さしてやりたい。だけど君の場合は、いくら逆立ちさせたって点数が足りないんだ。だけど軍隊に志願すれば、自動的に卒業と認められる制度ができたんだが、どうか」という。

学徒出陣なんかの後にできた制度なんだけど、学校の課程の途中でも、軍隊に入ってその証明書を送ってくれれば、文部省が卒業と認めますという。それで兵隊に行ったんだ。

昭和一九年、熊本県人吉《ひとよし》の予科練に入隊した。そこで半年間の訓練を受けた後、宮崎の航空隊を経て、鹿児島県の鹿屋《かのや》飛行場に移った。

大隅半島にある鹿屋には海軍の飛行場があって、機体に爆薬を載せて敵に体当たりする特攻隊の基地だった。そこにいたなんていうと、「有名な戦争映画の

『出撃前夜』ですね」なんて言われたりするんだけども、予科練なんか学生みたいなものだし、ぼくなんか毎日爆撃を受けた滑走路を穴埋めしたりしてうろうろしているうちに、仲間は優秀な人間からどんどん連れていかれて死んでっちゃった。特攻隊員として飛行機に乗っていったり、モーターボートに爆弾積んでいく人間魚雷の部隊に放り込まれたり。

ぼくは足踏みしているうちに生き残っちゃった。悪運が強いって言うのか……。

基地は連日のように米軍機の空襲を受けていたよ。ある時、訓練の最中にババババーッと機銃掃射の猛攻撃を受けてね。みんなで一斉に走って逃げた。一番体の大きくて強いやつが真っ先に森の中に飛び込んでいった。

ところがぼくは一番かけっこが遅くてのそのそしていたから、みんなから遅れて逃げ損なっちゃって、たんぼの溝に落っこちたんだ。

敵機が去った後、いっとう先に森の中へ駆け込んだ男が、もろに爆撃を受けて血まみれになって死んでいた。ほんの少し前までピンピンしていたのに。「なんでこいつでなくておれが生き残ってしまったんだ……」。世に無常ということがあるならこういうことを言うのかと、呆然とした。

ぼくが生き残ったのは、何を教えても何やってもらちがあかないからいつまでも残されていたから、だから生き残っているわけなんだよ。そのぶん、一生懸命坊主になって、やらされてんだな。

生き残るんじゃなくて、生き「残される」ものなのかもしれないな。なにかお前さんはざんげしろ、もっと世の中のためになれって、そういうことでもって仏さんは、この世に残しておいているんだよ。

命が残されているっていうことは、今何歳であろうと、まだまだしなくちゃならないことがあるのとちがうかな。

## 長い長い引き揚げの旅が教えてくれたこと

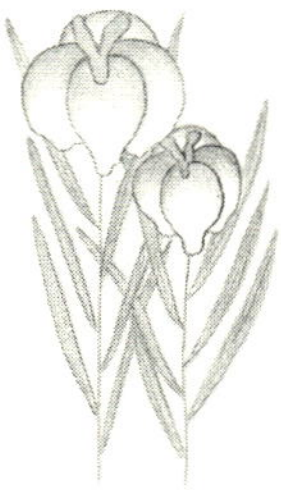

終戦は鹿屋で迎えたんだけど、上からは勝ったとも負けたとも言われなかった。玉音放送も聞いていない。八月一五日に、唐突に「一時休職になった。家に帰っていい」と伝えられただけだった。また通知があったら戻って来いって。

何がなんだか分からない。ともかくいったん家に帰ろうと、汽車も何もないから歩いていった。

そうしたら、軍の関係者だけじゃなく、一般の人たちもぞろぞろ歩いているんだよ。みんな放心状態のような、ぼーっとした顔をしている。なんだか様子が変だな、変だな、と思いながら汽車のところまで、と思いながら歩いていった。佐賀県の鳥栖《とす》というところで、ようやく貨物車に乗れた。ゴットンゴットンと途中何度も止まったりしながらやっと広島についたんだ。

何にもない焼け野原だった。原爆投下から何日もたってなかったんだけど、当時は原爆のことなんてよく知らないから、「ここはすごいなあ」とホームの外に降りちゃって、思わず原爆で溶けた石ころを拾って「こんなになっちゃったのか……」って。

みんなが「早いとこ京都抜けなきゃダメだ」とうわさしている。「どうしてですか」と聞くと、京都を境にして東はアメリカが取って、西はロシアと中国に取られちゃうという。こっちにいたら奴隷で連れてかれてしまう、などというデマが飛び交っていた。

混み合う無蓋車にガタガタ揺られて名古屋についたら、名古屋はそれほど焼けていなくて、駅の周りがにぎわっていた。汽車で一緒に乗り合わせて親しくなった男が、「名古屋には兄貴の家があるから今日は泊まっていかないか。休んでから汽車に乗って帰んなよ」と誘ってくれた。

それで下車して、案内されてそいつの家に行ったよ。家の人が、「食糧もないのによけいなことして」っていうけったいな顔してたよ。彼が「汽車に乗って一緒に帰ってきたんだから」って説明してくれて、ごちそうになって一晩泊めてもらったんだ。朝、「ありがとうございました」って別れて駅まで行った。

また無賃乗車できる汽車を見つけて乗り込んだ。しばらく乗っていて、ふと、「万年筆どこへいったかな」って探したら、ないの。ザックを調べたら、万年筆も財布もそっくりなくなっちゃってた。泊めてもらった時に、その家のだれかに全部持って行かれちゃったの。万年筆は予科練に行く時に、うちの親父が大事にしていたのを形見にもらったものだったんだよ。

汽車の中で、やっぱり、うまいこと言って泊めてくれたけど、ちゃんと家賃も取っていきやがったなあ、と感心してたよ。学校行っているころ、先生が「うまい話には必ず必ずかげがある」って言ってたけど、気をつけなきゃいかんかったなあ、と思ったり。

引き揚げの途中の貨車の中も、ひどいもんだったよ。無蓋車に人が鈴なりなんだから。汽車が止まったって自分の場所を絶対動きゃしないよ。隙間があったら他の者に入られちゃうからね。ギュウギュウにして守らないと。

守るのに精いっぱい、という雰囲気だったね。だれか別の人が乗ったら、自分が乗れなくなっちゃうからね。ああいうのが、人間のあさましいところだろうな。

デマが飛び交ったり、だましたりだまされたり、人を押しのけたり……。九州から東京までの長い長い引き揚げの旅は、いろんなことを考えさせられたな。

あの旅は、仏さんが、人間のいろんなところを見せてくれて、人生ってそんなもんだよって教えてくれたんかもわかんないなあ。

# 同じことを、ぐるぐる ぐるぐる繰り返している

戦争が終わって、最初に勤めたのは法政大学の図書館だった。実はその仕事、最初にぼくの父親に来た話だった。

父は平壌《ピョンヤン》で終戦を迎えて復員してきてね、知人が法政大学に就職を世話してくれた。ところが、また別の仕事の話があり、「お前断りに行ってくれ」って言われたんでぼくが断りに行った。

そうしたら「代わりに君がここへ来ないか」って。それでぼくが勤めることに

なったんだ。

図書館では、貸し出しカードを見て本を棚から出し入れする出納係にさせられたの。「これお願いします」といって難しい漢字とか横文字のカードを渡される。ところが広い図書館でどこにその本があるんだか分かんないし、字は読めないし、最初はうろちょろうろちょろして、いつも人に助けてもらうような状態だった。

ふと、本の背表紙の下の方を見たら数字や記号が書いてある。「Bの305」とか「Cの56」とか。あれ、もしかしてこの数字と記号のところに出し入れすればいいんとちゃうんかな、と気づいた。こつが分かったら、スッスッと本が出し入れできるようになった。

戦争中、鹿屋で「飛行機整備術練習生」っていう名目で、飛行機を操縦して整備もする特殊な教育を受けたの。そこで、適性検査というのを何度もやらされた。数字がいっぱい書いてあってきまりに合わせて印を付けるとか、迷路みたいな地図を何秒以内で書くとか。あまり成績がよくなかったんだけど、しょっちゅうそんな訓練やらされていたから、図書館のような仕事は意外とうまくできたんだよ。他の人たちが一生懸命探してやっている間に、ぼくは三分の一くらいの時間でやっちゃった。本になにが書いてあるかなんてちんぷんかんぷんだったけど。そうしたら大学の先生が、こいつはよっぽど頭いいんじゃないかって勘違いしちゃったらしく、ぼくに「君、何科にいるの?」と聞いてきた。「図書館です」というと、「分かっているよ、学部のことだよ」「いえ学校行ってません」と答えると、「惜しいなあ。学校へ行きなさい。この本を利用して勉強したらいい」と言われてね。根が単純だから、そうかなあと思って、試験を受けて大学へ行こうと思った。

願書を出すには、成績証明書を出身校から出さないといけない。しょうがないからもらいに行ったんだけど、うちへ帰ってきてから不安になってきて、そーっと見てみたんだよ。そうしたら学校さぼっていることとか、落第のこととか、品行はあまり良くないとか、ろくなことが書いてない。

なんだか、急にいやになっちゃったの。図書館へ行くのもやめちゃった。職場放棄だね。家では勤めに行ってると思ってるから、朝八時に三鷹駅から電車に乗って、ぶらぶらして夕方五時になったら帰ってた。

そのうちお金が尽きて、電車に乗れないから朝から夕方までずーっと歩いてさ。玉川上水から甲州街道に出て、市谷の方から月島あたりまで行って、後楽園のほうを回って青梅街道、五日市街道。吉祥寺の先から三鷹へ入っていくと、ちょうど夕方の五時になるんだよ。ただとっことっこ、とっことっこ……。

それから三〇年もしてから、千日回峰行の京都大回りで一日八四キロ歩いたんだけど、その時に、東京を歩いていたことを思い出してね。

空しいような日々だったけど、あれは、仏さんがちゃーんと道しるべを与えてくれてたんだって。京都の前に東京の街をぐるーっと練習さしてくれてたんだって。あれは東京回峰だったたな、なんて。「だからおれはちっとも変わってないんだな、同じことをくるくるくるくる繰り返してんだな」って。

# どんな目にあったとしても

そのうち父親が荻窪の駅前でラーメン屋を始めたので、図書館の仕事を挫折したあと、ぼくはそのラーメン屋を手伝うようになった。
朝の八時ごろから仕込みをして仕入れをして、一一時にお店を開く。そのままずーっと夜中までやってるんだ。終電車を降りて来る人たちはみんな酔っぱらいだから、なかなか帰らないで深夜三時ごろまでいてね。ようやくお客さんたちがみんな帰ってから店を閉めて、火を落として掃除して。それから寝て、朝八時に

は仕事が始まる。

そんなふうにして、くるっくる、くるっくるやってるから、あっという間に月日が経っちゃってね。ラーメン屋さんを四、五年もやっただろうか。結構繁盛していたんだよ。

やっている最中に朝鮮戦争が始まったな。「朝鮮で戦争が始まったらしい」って、近所で商売していた朝鮮や韓国の人たちがよく「義勇軍に入る」「志願します」ってあいさつに来てたね。同じ日本にいても、北と南で敵と味方に分かれて戦った人たちもいるんだよね。あれは胸が痛んだね。

そのうちに、ラーメン屋が突然火事になって焼けちゃったんだ。壁と壁の間から漏電して火が出たとかなんとかで一気に燃え広がって、周囲の店ともども焼け出されちゃった。今でも火事の原因は全く分からない。火事から少ししてから放火の犯人らしき人が捕まったりしたけど、結局、証拠不十分ですぐ釈放されちゃってね。

あれはわれわれを立ち退かせたくて、お上がやらせたんじゃないかという噂まで立ったんだよ。当時は、荻窪駅前にはたくさんの商売をする人たちがひしめいていて、朝鮮の人や中国の人やなんかもいっぱいいいてね。

駅前はごみごみして手狭だったから、そうした店をつぶして区画整理したかったんだな。一気に片を付けるには焼き払っちゃうのが一番いい。頼まれて特攻隊になっただれかがわざと漏電させたんじゃないかと……。

だって、普通なら燃えて終わってから一週間もすれば片が付いて、元の場所にまた入れるでしょ。それが、やれ消防署が来るから、やれ警察が来るからって、店のあった場所は立ち入り禁止にされたままで全然入れてくれないの。ずっと捜査中だとかなんだとか。

焼け出された人たちは、商売もできないから途方に暮れちゃって、東京都や都会議員に何度もお願いにいったよ。でも「なんとか封鎖をといてもらって、仕事できるようにしてください」って頼むんだけど、「話はしているから」「働きかけているから」と繰り返すばかりで、らちがあかない。

そのうちにバーンと条例みたいなのができたの。「ここは区画規制されてるから飲食店をやっちゃいけません」って。商売再開できる日を心待ちにしていたのに、ほんの涙金の立ち退き料だけ与えられて、べちょっとなっちゃった。

ひどいよな。その時は、目の前が真っ暗になったよ。そういう時代だったのかもしれないがな。

どんなにひどい目にあっても、時間がたてば必ず、いろいろなことがあったなあ、と思える時が来るよ。後になってから意味が分かることもある。

だから、あせることも、自分はだめだと思うこともないよ。目の前のことをただ、一生懸命やるだけだよ。人生はその時だけじゃないんだって。

# 人の心には闇がある

ラーメン屋ができなくなってから、父親と一緒に株屋の代理店のようなことをやったんだ。日本経済も復興のきざしが見えてきたころで、最初結構もうかったんだよ。ところが、昭和二八年、ソ連（当時）のスターリン首相が死去して、ほとんどの株が一気に暴落した。株価がみんな、一夜にしてドーンと下がった。世に言う「スターリン暴落」だね。

ちょうど借金をして手を広げて相場を張っていたころで、これにぶち当たったんだ。どんなに金策にかけずり回っても間に合わない。借金取りが毎日押し寄せてきたよ。

株屋を廃業してからは、友達のところへ行って仕事手伝いに行ったり、あちこちでアルバイトをしたり。ソバ屋の店員をやっていたこともある。

ソバ屋さんではね、今のいじめみたいなことをやったことがあるんだ。ソバやうどんを作っているところに、職人が開けたメリケン粉の空き袋がいっぱい積んであった。その袋をそっと取ってさ、従業員の女の子が働いているところに、後ろから回り込んで、パッと袋をかぶせるわけ。空き袋には、白い粉がびっしりついているだろう、その子、真っ白になっちゃって、泣いちゃってな。それでみんなして囲んで「ワハハハーッ」なんて笑って。中学か高校出たくらいの若い女の子だったんだけど……。

その子が弱くてすぐ泣くから、面白くてまたやっちゃうの。そうして、三回か四回やったかなあ。ある日、とうとう親がやってきてな、店の主人に「うちの子、体の調子が悪いから辞めさせてもらいます」っていって辞めさせちゃった。だからねえ、今のニュースでいじめとかやっているのと見ると、もうしわけないなあって胸が痛むんだよ。ああいう感覚はなんなんだろうなあって、実際分かんないことがあるんだよ。

その女の子は当時、せいぜい一八か、一九歳くらいだろう。今だったら七〇歳過ぎくらいだよ。今ごろ孫に言ってるかもしれない、「おばあちゃんの若いころ、そりゃあひどいやつがいてねえ」なんて……。まさかその張本人が、行者になってるなんて思いもしないだろうなあ。

ソバ屋の次には菓子屋のセールスマンになった。問屋から小売店に卸す仕事だな。そのころはぼくも悪くてね。スキを見つけてはピンハネしてた。伝票を持ってきて工場に払うとかっていう時に、いろいろ穴があるんだよな。菓子屋さんなんてのは意外とぼーっとしているからね。

きっとああいうのが大きくなったやつが横領事件なんだな、と思う。阿闍梨、阿闍梨なんて言われているけど、悪いやっちゃなあ。

なんでふらふらとあんなことをしてしまったんだろうな。人生に迷っていた時だからだろうか。人間にはそういう残酷だったり、ずるをしようとしたりする部分があるんだろうか。

仏さんにはみーんなお見通しなんだよな。だから、たえず一生懸命、ざんげして、自分を律していかないといけないんだよな。

# ある日突然、妻は逝ってしまった

三三歳で結婚したんだけど、嫁さんが結婚二カ月で死んじゃったんだ。ぼくがいつまでもフラフラしてるから親戚の人たちは、所帯でも持たせればしっかりするだろうと思ったんじゃないかな、従妹と結婚することになった。でも、ぼくは全然品行方正じゃなかったでしょう。いい加減な仕事ばっかりしているから嫁さんもびっくりして、お先真っ暗になっちゃったのかなあ、ふいに実家の大阪へ帰っちゃった。

そしたら悪友なんかがさ、「お前女に逃げられてどうすんだ！」とか、「連れ戻して来い」とかせっつくんだよ。

ぼくも、単純にできてるだろう、「そうか、そういうものか。よし行ってくるわ！」と、すっ飛んで大阪に連れ戻しにいったわけ。

向こうに着くと、「ちょっと体の具合が悪いから、落ち着いてから東京に連れて行ってくれ。二、三日、一緒にいてくれ」って言われたんだ。嫁さんの実家は鉄工所だったので、仕事を手伝いながら居候してたんだけど、何日経ってもいっこうに帰る気配がない。

あの日のことは、今でもとてもよく覚えているよ。いつものように鉄工所を手伝って、旋盤を引いていた。ぐーっと引くんだけど、なぜか調子が悪くて、すぐに切れなくなっちゃう。バイトっていうのを研ぐんだけど、またすぐに切れなくなっちゃうんだ。何度研いでもダメになっちゃって。そのうちチップがだんだん小さくなってしまって。

なんだか調子が悪いなあ、変だなあ、と思っていた時に、従兄の嫁さんが、「大変だよ、大変だよ！」って、叫ぶ声が聞こえた。「今、窓開けてきたんだけど、ガス飲んで大変だ！」って駆け込んできて、急いで救急車を呼んだ。病院連れて行ったら、「死んだ人間をなぜ連れてくるんだ」って、救急車の人が怒られたって。そう、一一九番に電話した時には、もう息を引き取っていたんだな。

その後、警察の検死があったり葬儀があったりして、そろそろ東京へ帰ろうと思ったら、嫁さんの父親であるぼくの叔父さんが、「四十九日までせめていてやってくれよ」と頼むんだ。それで、鉄工所を手伝いながらしばらくいたんだけど、頃合いをみてうちに帰ろうと思ったら、「やることがないなら、ここで仕事手伝わないか」って。

ぼくはすっぱり歯抜けみたいになっていて、覇気とかそういうのが全くない。言われるまま大阪に居着いてしまった。

なぜ、あんなことになってしまったんかなあ。そうして大阪で暮らすようになって、ある時、叔母さんに「一緒に比叡山に行くから、お前もついて来い」って言われて比叡山に行ったのが始まりなんだよ。

このいだ、嫁さんが亡くなって五十年の法要をするから来てくださいっていう手紙が来ていたの。「ああもうそんなになるのか。行かなきゃいけないなあ」って思ったんだけど、他の用事がいろいろあって、気が付いてみたら法事が終わっちゃってた。薄情というのか……。

みんなは何周忌だとかいって、やれ三年だとか一三年になったから拝みましょう、盆とお彼岸にはお墓参りをしましょうってやってるけど、ぼくは毎日拝んで、毎日付き合っている。毎日が法要のようなもの。あわてて一三年だ、五〇年だっていうことないんじゃないって。すごい開き直りなんだけど。

いろんなことをざんげしたり、みんなが幸せになるにはどうしたらいいだろうなんて考えながら、ただひたすら、拝み続けるだけだよ。

# 人生の出会いは
# ある日突然やってくる

そうして三十代半ばになってから、大阪で仕事をしながら、折に触れて比叡山を訪ねるようになった。そのころは、なんだか気持ちがいいところだから通っていただけで、まさか坊さんになるなんて考えてもいなかった。

あれは昭和三八年ごろだったと思う。東京から末の弟が遊びに来たので、比叡山を案内してやった。いつものように歩いて明王堂のあたりに差しかかると、妙にたくさんの信者さんが集まっていた。

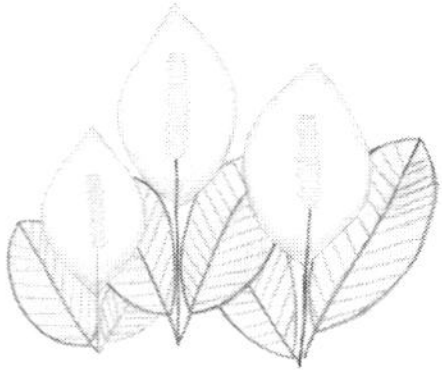

集まっていた信者さんの一人に「どうしたんですか」と尋ねると、ある偉い行者が、千日回峰行の中でも最も厳しい行である「堂入り」を終え、籠もっていたお堂から出堂するところだという。堂入りは、九日間の不眠不臥《ふが》、断食断水に耐える非常に厳しい行だと教えてくれた。びっくりしちゃってね。

真言を唱える信者さんの声が響く中を、厳かにお堂の扉が開けられ、過酷な行を終えた白装束の行者が現れた。目の前を一歩一歩と、進んでいく。後に戦後六人目の千日回峰行者になる宮本一乗という阿闍梨だった。

ぼくは思わず立ちすくみ、その行者の姿を固唾を飲んで見守った。世の中にはこんなことがあるのか、こんな世界があるのか……、と大きな衝撃を受けた。千日回峰行というのがあるというのも、その時初めて知ったんだ。

山を下りてからも、その行者の姿が心に焼き付いて離れない。世の中には、ただひたすらに行に打ち込む人生がある。翻《ひるがえ》って自分はどうだ。ただふらふら生きているだけじゃないか。自分の生き方は間違っていたのかもしれないと疑問が生まれた。考えて、考えて、考えた。わけも分からず、比叡山から大阪まで歩いてみたりもした。

圧倒的な何か、思わずひれ伏してしまうようなできごととの出会いも、出会いにちがいない。そういう瞬間が、必ずあるもんだな。

「無駄だったことが無駄じゃない。そん時は気がつかなくても、結果的にはよかったって時がくるんだよ」

# 仏が見せた夜叉の顔

比叡山に行って心が晴れ晴れとしても、大阪の家に帰ってしばらくすると、清らかな空気など消し飛んでしまう。叔母さんの厳しい小言がどこでなにをしていても追いかけてくるんだ。

「ちゃんとせい」「なにしとんや」「そんなことでどうする」……顔を見るたび、なんだのかんだのと説教をされる。もう、呼吸するだけで何か言われるような感じだったな。

まあ、どこにでもある話なのだが、ぼくにしてみればかなわない。叔母さんの顔を見ると憂鬱になってくる。

そのうち、「なんとかして、あのババアから逃げる方法はないかなあ」ということばかり考えるようになってしまった。「これはばあさんの前から姿を消すのが一番いいな」と思った。

気がついたら、足が比叡山に向かっていたんだよ。夜中にそっと家を出て、大阪から比叡山まで歩き通して、翌日の午後になって山に着いた。それで、何度か山へ行って面識があった小林隆彰師のところに行ったわけだ。「ごめんください」と訪ねると、小林さんは、ぼくの顔を見るなり、「お前さんか。なんだ、ふーん、狂ってないじゃないか」とぼくの顔をまじまじと見ながらつぶやいた。

叔母さん、先回りして小林さんに電話をしていたんだね。「うちの子がちょっと頭おかしくなって行方不明になっちゃった。知っているところにあちこち問い合わせてもいないから、もしかすると、比叡山へ行くかもしれない。もし、行ったら捕まえておいてください。迎えに行くから」って。

そこへ、ぼくは何も知らないでのこのこ行った。小林さんは、「連絡くださいって言ってたぞ。でも、狂ってねえなあ。まあせっかく来たんだから、今晩泊まってけや」って。それでお堂に泊めてくれてね。「朝になったら、礼拝《らいはい》行を教えてやるから、やってみるか」と。

あのとき自分が叔母さんのことをそういうふうに受け取ったっていうのは、仏さんが叔母さんを夜叉の姿に化してぼくに見せて、背中を押してくれたっていうことなのかもしれないがな。

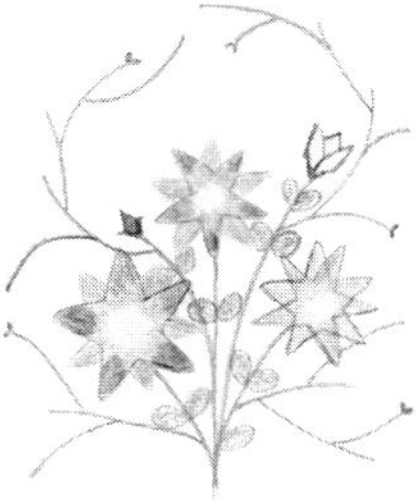

# 自分は何のために生まれてきたのか、なにするべきか問い続ける

家出同然で飛び出して、比叡山で一ヵ月ほど住み込ませてもらったのは三八の時だったかな。一生懸命小僧さんのまねをして朝起きて掃除や洗濯をしたり、一日三回の真言を唱える行をさせてもらったりした。

ひと月もたつと、里心というのか、だんだん大阪へ帰りたくなっちゃってね。小林師もこいつ気が散ってきたな、と思ったんだろう。「お前そろそろ大阪に帰りたいだろう」と言ってきた。

「帰りたいです」と答えたら、「せっかくお寺の弁天さんにごやっかいかけたんだから、お礼の意味で般若心経を二一枚書いてお供えして帰りなさい」と言いつけられた。そう言われても、墨なんか摺ったことないし、筆も持ったことがない。硯の上でだいぶ黒くなったかなと思っても、筆に浸して半紙に書くとにじんでしまう。墨の摺り方から兄弟子に教わりながら、どうにかこうにか自分なりに書き始めた。

お経を覚えていればさっさと書けるんだろうけど、ちんぷんかんぷんだから、一字書いたら見て、一字書いたら見て、一枚書くのに二時間半くらいもかかってしまった。これを二一枚も書かないといけない。これじゃあ、なかなか帰れないじゃないって青くなってね。

早く書くにはどうしたらいいかなと考えて、そうだ最初に書いたのを下に置いて上に半紙を重ねて写しちゃえばいい、と思いついた。そうして二一枚こしらえて先生に見せた。「おおできたか」とじーっと見ててね、「お前、器用やなあ」と言う。てっきり、筆も持ったことないのに上手に書いたからほめられたと思ってにこにこ、にこにこしていたの。

そうしたらとんでもない。「どの般若心経も、みんな同じ字が一字抜けている。これはどういうことだ」とえらく怒られてな。最初に書いたのが一字抜けていて、それに気づかず重ねて書いたもんだから、他のもみんな同じ字が抜けちゃってたの。

「もう一回やり直し！」と。やっぱり仏さんには嘘はつけないなあと観念して、全部書き直して次の日出したんだ。いよいよ帰る時になって、先生はぼくに一枚の紙を渡した。紙の真ん中に「日」、四方に「東」「西」「南」「北」と書いてある。

「宿題として、この意味を考えなさい。ヒントは聖徳太子さんが昔、言った言葉だ」と言うんだ。

それからその紙をずっと持っていて、考え続けた。聖徳太子さんが言ったのは、「日出《ひい》ずる国」。ここは太陽が昇る国。この国にお前はやってきた。何しに来たんだ。何のために生まれてきたんだ。それを問え、ということだろうかと。比叡山へ行った。それは何のためかと。自分の心にそう問うと、お経をさぼって書こうとするなんて、なんと恥ずかしいことをしたものだなあと、思ったんだ。じゃあ、自分は何をしたらいいのか、何をすべきか……。

何をやるにしても「何のために、何をもって」と考える。これが意外に奥が深くて、何でも通用する。たとえば会社に入ったとしたら、会社のために仕事をするんじゃなくて、自分の人生として、こうふうにやるべきだと考えて、やればいい。

「一隅《いちぐう》を照らす」とはそのことなんだよ。「温故知新」も、故《ふる》きを温《たず》ねて、新しきを知る。これからどう生きるか……というのが温故知新の本当の意味だからね。

人はだれもが、どこにいても何をするにしても、「何のためにきた」「なにするべきか」っていう宿題を仏様から授かって生きているんだよな。

# その答えを、一生考え続けなさい

初めての修行の時に師からもらった「東西南北」の宿題から十年あまり。その間に叡山学院へ行って、一〇〇日の回峰行をやって、いろんな細かい行を終わって、一九七四年の四月一日に、無動寺谷宝珠院の住職を拝命した。その際、辞令を天台座主《ざす》に渡す役をしたのが、だれあろう、ぼくに「東西南北」の宿題を出した小林師その人だった。

ぼくは、「そういえば、あの時に宿題をもろうて、答えを出していない。答えを出さずに住職になるわけにはいかない。義理が立たない」と思った。

「先生」と、お守りみたいに持っていた先生にもらった紙を出して見せて「これ先生に宿題をもろうたものです」って言ったら、先生、忘れちゃっているんだよ。

「うん?」と首をかしげながら紙を見て、「おお、これはおれの若い頃の字だよ」なんて言ってる。

「あの時、ぼくがずるをした一字抜けの般若心経で、今までお前を信用していたものがゼロになっちゃった。ここへ何しに来たのか?と言うために『東西南北』というものを書いたんじゃないですか。お前は住職になった。さあ、お前は何をしていくかっていうことを、仏さんの前で示していけと?」

というようなことを夢中で言った。「先生、合っていますか」と。そうしたら「おう、そうか」と、それについて良いとも悪いともいわず、そのままスーッて行っちゃったんだ。

最近になって、小林師と二人になった時にまた聞いてみた。「先生、ぼくが住職になった時に、東西南北の答えを言ったら、先生『おう、そうか』って黙って行っちゃいましたけど、あれどないなりましたか」って。

「もういいよ。そんなことはどうでもいい」って言うの。「答えを出したらお前それおしまいにしちゃうだろう。永久に考えてろ」って。

自分なりに腑に落ちると、人はついそこで考えるのをやめにしちゃう。でも、答えが分からないといつまでも考えるだろう。肝心なのは答えを得ることじゃなく、考え続けることなんだな。

## ●千日回峰行

約七年間かけて比叡山中を一〇〇〇日間、回峰巡拝するなどの天台宗独特の修行法。天台宗第三世座主、円仁が八三九年、遣唐使として唐に渡り、山西省五台山で修行し、その行を帰国後、弟子の相応《そうおう》に伝授した。相応がこれに天台宗の教義である、「山川草木悉有仏性」（山や川、一木一草、石ころに至るまで仏性あり）を加え、現在の千日回峰行の原形をつくったといわれる。

行者は、半開の蓮の葉をかたどったひのき笠を頭に、白装束に草鞋履き、死出紐《しでひも》を肩に掛け宝剣を腰にした姿が特徴。行を挫折したら自害するという覚悟のいでたちだ。初年から三年は深夜から朝にかけ、比叡山中の二百数十カ所を巡拝しながら、一日三〇～四〇キロの道程を毎年一〇〇日間歩く。四、五年目は毎年二〇〇日、計七〇〇日の回峰をする。

七〇〇日の回峰行を終えると、不動堂に九日間こもり、断食、断水、不眠、不臥《ふが》で不動明王の真言を一〇万回唱える「堂入り」という行が課せられる。終盤になると、瞳孔が開き死臭が漂うともいわれる非常に過酷なものだ。

六年目は一日に歩く行程が六十キロになる。最終年の前半一〇〇日は比叡山中と京都市中八五キロを歩き、後半一〇〇日は比叡山中三〇～四〇キロを歩く。こうして七年間で歩く行程は延べ四万キロ近く、地球一周分に相当する。

この行を成し遂げた者は、大行満大阿闍梨《だいぎょうまんだいあじゃり》という尊称が与えられる。千日回峰行を成し遂げたのは、記録の残る織田信長の比叡山焼き打ち以降約四百年で、四九人しかいない。戦後だとわずか十二人だ（二〇〇八年十月現在）。

酒井師はこの荒行を一九八〇年、八七年と続けて二度満行した。二千日回峰行者は四百年で三人しかおらず、また最高齢だ。

# 第三章　行

# 衣を染める朝露も、いつしか琵琶湖にそそぐ

千日回峰行で木や草をかきわけながら山道を抜けていくと、生えている雑草についた朝露で着物がずぶぬれになってしまう。朝露というと透明なようなんだけど、塵やなんかを含んでいるから、濡れると白い着物がどす黒く染まってしまう。いったん黒っぽくなってしまうと、帰ってから何度洗濯しても、いくらさらしても元に戻らないんだ。

それで、なるべく濡れない方法はないかなあと、最初のころはいろんなことを

考えた。体にビニールを巻きつけて歩いてみたりな。だけども、自然にはかなわない。足元からしみてきて、いつしかぐっしょりと濡れてしまう。「この草がなければ歩きやすいし、こんなに汚れないですむのに……」と、ちょっぴりうらみがましく思いながら山を登ってったこともある。

ある蒸し暑い日、のどが渇いて清水を飲んだ。ちょろちょろちょろ……ってわき水が流れているところに笹の葉や木を置いてせき止め、たまったところをくっと飲む。これがなんともいえない美味しさなんだ。

のどを潤してから、さあ進んで行こうと歩き出して、小川を渡った時、「おや、ちょっと待てよ」と思った。あの清水のちょろちょろとした流れが集まって、この川になった。さらにこういう流れが集まって、下へ流れて行って大きな川になる。その川は琵琶湖に注いでいく。また、地面にしみ込んだ水分は、地下水になって琵琶湖の伏流水になる。琵琶湖はみんなを支える豊かな水源だ。

そうした水の元は、着物にしみてかなわないなあと思っている濡れた草につく露なんだなと。もし、雑草がなくなったら砂漠と同じだ。川も湖も、地下水もなくなってしまう。この雑草がなくなって、汚れないで歩けるようになってほしいなんて思うのは、とんでもない間違いじゃないかって。

それから、朝露で濡れることがいやじゃなくなったんだ。ぼくが濡れたっていうことは、今日も琵琶湖は安泰だ、みんなの飲み水もちゃんと届いていくっていうことを証明してくれたことじゃないの。

こうして歩いていて、もし倒れて死んだら、いずれ土に還って水になる。死んだとしても、必ず水になって琵琶湖に注いで、みんなのために水となって水源を守りたい、と思いながら歩くようになったんだよ。

お山の向こうに、琵琶湖が光る

## 歩くことが、きっと何かを教えてくれる

お寺から出て山を回って、登って、平らなところに出て、そこから下って、また登ってきて平らなところを行ってあちらこちらを拝みながら、最後に急坂を降りてもとのお寺にたどり着く。千日回峰行はそうして毎日山中四〇キロの道のりを歩く行だ。

四〇キロというと驚かれるけど、毎日歩いているから歩けるんだな。ボクシングの選手みたいにずーっと走り込んでいる人なら、そのくらい歩いても平気だと

思うよ。歩くせをつければどうってことない。日ごろ歩いていると、歩かないとかえって具合が悪くなっちゃう。

歩き方は人それぞれ、行者によってみんな違うものなんだ。ぼくなんか小柄でコンパスが小さいからちょこちょこ行かないと。今の人たちは体が大きいから歩幅を大きくとって歩けるんじゃない？　結局、人は自分の歩き方でしか歩けないんだよな。自分の歩き方で歩いていかなきゃしょうがないしな。

今は便利な交通機関がたくさんあるから、人は歩かなくなったよね。ぼくなんかが山をとっことこ、とっことこと歩いて回って、たとえば夜中の一時に寺を出て朝の八時ごろに帰ってくると六、七時間。成田空港から飛行機に六時間乗ったらタイかベトナムの方まで行けちゃうよ。そんな時代だもの。本当は人間の心の世界というものはそんなスピードについていけないんだけども、置き忘れられてしまっている気がする。

心がおっつかないから迷ったり、生きるのがしんどくなる。世の中だってぎくしゃくしてくる……。もういっぺん振り出しに戻ったり、本来の姿を振り返る必要があるんじゃないかと思う。

それには、歩くことなんじゃないかな。人間の自然な姿は歩くことだから、歩くことは人間を振り出しに戻してくれる、なにかを振り返らせてくれるような気がする。原点かもしれない。地べたに自分の足がつくことで、土地とふれあい、大地の力をいただくことができる。

何かを置き忘れているような気がしたら、少しずつでいいから、歩いてみるといい。歩くことがきっと何かを教えてくれるよ。

# 知りたいと思ったら、実践すること

回峰行などでひたすら歩くのは、歩きながら座禅しているのと同じ、「歩行禅」といわれるものだ。歩く中で何かを思いついたり、智恵が生まれたりする。仏教の難しい教義などを書物や人に教わったりして知識を学ぶことも大事だが、ある程度学んだところで実際に動くことで、智恵が生まれてくるんだよ。

この線くらいまでなら勉強した、このくらいまでなら習ったこともできるかもしれない……というところで、実践に入っていくといい。実践の中でいろんなヒントを受けたり、アイデアが浮かんだりする。

智恵が生まれたら、もう一回書物を読んで勉強しようとか、次の実践をしてみよう、となるでしょう。学ぶのと智恵を出すのを、繰り返し繰り返し、だんだんだんだんとね、重ねていく。

やがて、智恵から智恵も生まれてくるかもしれない。ぼくなんかは、やっぱり歩くことで教えてもらうことが多いから、歩き続けるんだ。

今の若い人は、よく勉強するからとても頭はいいんだけど、実践する力が弱いのかな。勉強して知識を広げ、物事をわきまえるっていうことも、もちろん大切だけれど、それをそのままにしておかないで、自分のできることを実践していくということなんだな。知っていることを生かすことができないってことは、結局、生かすところまで学んでなかったってことになるんだよな。やってみて初めて、難しい、これは自分の手には負えないということも分かる。じゃあどうしようかと考える。それはやってみないと分からない。やらないで分かったような気になっていることが案外多いんじゃないかな。

自分自身が感じて味わって初めて本当の意味で「知る」ことができる。人生は自分の力で知っていくしか仕方ないんじゃないかと思うんだよ。

長寿院の裏手には、行で履きつぶされた大量のわらじが干してある

# 仏さんが教えてくれた親子の情愛

お坊さんの世界に入って三年坊だった時に小僧さんをさせてもらった小寺文頴師のお寺には、子供が五人もいた。女の子、男の子が年子で生まれて、一年おいて男の子、一年おいて双子が生まれた。歳の近い子供たちが五人だ。

子供たちのお母さんはお寺のことをやって家事をこなしながら、子供たちを一生懸命育てている。末は双子だから、見ていて本当に大変そうだった。

ぼくは年を取って小僧さんに入れてもらって世話になっているんだから、何か

手伝いできることはないかなあと思っていた時に、お母さんが双子の片方を抱いて、片方を背負って、駆け回っているのを見て、「一人預かりますよ」といって、双子の姉の方を預かってめんどうをみることにした。

預かったものの、子供の育て方なんて分からない。とまどうことばかりだった。一人をお風呂に入れようとすると、もう一人がついて来ちゃう。仕方ないから二人いっぺんに入れて、お風呂で洗っていて、気づいてみたらもう一人がいない。おかしいなあと思ってキョロキョロしたら、風呂桶の中で沈んじゃってる。びっくりして、足を持ってさかさにして、お尻たたいたりしたこともある。そんなことをやりながら、日々暮らしていたもんだから、子供たちがすっかりなついてしまった。

やがて、「三年籠山」といって、三年間山に籠もる行をすることになった。比叡山の住職になるには必ず経なければならない修行だ。いよいよ出発の時には、子供たちが前から後ろからしがみついてきて、「お兄ちゃんいなくなったら寂しいよ、お山へ行くのやめてよ」と泣きついてくる。あの時は泣けてね、ああ親子の別れというのはこんなもんだろうかとせつなかったね。身を切られるようだったけど、とにかく山へ上がんなきゃならないからって、山へ上がった。

浄土院での修行が始まった。伝教大師（最澄）様をお祀《まつ》りしているところには、塵一つあってはならないのでひたすら掃き清めなければならない。掃除も修行の一つだ。落ち葉が舞う秋から冬にかけてはつらい。ひっきりなしに落ち葉がぱらぱらぱらぱらぱら落ちてくる。掃いて集めて、捨ててまた戻ってくると、掃いた場所は落ち葉でいっぱいになっている。

それを何回も何回もやっているうちに、ホームシックみたいになっちゃった。掃除しながら、「あのちびころ、何してるだろうな」って。そうしたらねえ、ものすごく寂しくなっちゃって、なんとかして会いに行く方法はないかなあと考えてね。「浄土院から抜け出して、坂を下りて坂本まで行って、ちょっと顔だけ見て帰ってこようかな」って何度か思ったよ。

ちょうどそのころはベトナム戦争がたけなわだった。たまたま向こうの戦場の写真を見たんだけれど、子供が泣きながら戦場を駆けめぐっておっかさん探している写真を見たときには、胸が張り裂けそうになった。

ぼくなんか平和なところにいて、本当の子供でもないのに、こんな気持ちになっちゃった。いま戦場で、子供と離ればなれになっている人たちがいる。その気持ちは、いったいどれほどだろうか……。

そしてまた思った。ぼくは、お嫁さんもふた月くらいで亡くしていて、家庭のことも子供のことも分からない。でも仏さんが、本当なら味わえなかったことを違った方便で、世間様と同じように味わわせてくれているんじゃないか。仏様の智恵、「仏智《ぶっち》」ってこういうことかなあって。

帳面や本で読んでかわいそうだ、かわいそうだと言ったって、字の上の「かわいそう」だ。実際に自分が味わった「かわいそう」は、また全然違う。やはり日々の行いの中から人の心に素晴らしいものが生まれてくるんじゃないかな。

# 息を吸って、吐く。呼吸の大切さ

三年間籠山している時に、一番最後に「常行三昧《じょうぎょうざんまい》」という行をした。九〇日の間寝ずにお堂の中をひたすら念仏を唱えてぐるぐるぐるぐる回る。大変難しい行だというので、なかなかやらせてもらえなかったんだけれど、ねばり通してやらせてもらえることになった。

いざ始めてみたら、二日目で体が動かなくなっちゃった。立ちづめだから、血が全部下に下がってくる。足が象みたいにぶーっとふくらんでくるわけ、脚気み

たいになっちゃってね。これは大変なことになっちゃったなと思った。九〇日もやらなきゃならないのに、二日目でこうだったらもうダメじゃないのって。頭の中真っ白になって、パニック状態みたいになっちゃった。

「昔から難しいからやっちゃいけないっていうのを無理してやったのがいけなかったのかなあ」と思ってね。「仏様に、いったい何をもっておわびをすればいいんだろう。自分が間違っていました、すみませんでしたとそこの席から立って、全然見えないところに逃げていくか、ぼくなんかどこにいても使い物にならないし、山の中に入っていって誰もいないところで首吊って死ぬか……」。そこまで追い込まれちゃった。

その時、昔師匠に聞いた話がふーっと蘇ってきた。

師匠はこんな話をしていた。ミャンマーに留学している時に、常行三昧とよく似た行をやらしてもろうたことがある。それは歩行禅だと。あちらは暑いからお堂の外を歩くのだけれど、歩きながら座禅する厳しい行で、師匠の他にも留学生が大勢いたんだけれども、一人減り二人減りして、最後に一〇人くらいになってしまった。このままでは総崩れになっちゃうと、師匠は、向こうの大僧正にお願いしてどうしたらいいのか聞いてみた。そうしたら大僧正が「呼吸だ」と教えてくれた。それで息を吸ったり吐いたりするのを体の動きに合わせて繰り返していたら、体がスムーズに動くようになった。そうしてミャンマーでその行を満行《まんぎょう》することができたという。

「日本にも、やりかたはちょっと違うけど、よく似た常行三昧という行がある。もしもお前さんがいつかその行をすることがあったら、何かの参考にしたらどうか」と言われたんだ。

当時は、まさか自分がそんな行をやるとは思わないしね。その話はすぐに忘れてしまった。全然頭の中に残っていなかったはずなんだけど、人間追い込まれるとね、不思議とすっかり忘れていたはずのことがどこからか蘇ってくるんだね。

死ぬならいつでも死ねる。逃げるとしてもいつでも逃げられる。それなら試しに、うちのお師匠さんが経験したやつを自分なりにやってみたらどうかな、と思った。それでやり出した。

息をふーっと吸って、吐く。吐くときは、「ナー」、吸うときは「ムー」……。人は息を吐くときは、前向きの格好になるんだね。息を吸うときはそり気味になる。呼吸のことはよく知らなかったけれど、呼吸に意識を集中していたら気持ちが静まってきた。

やがてしんどかった体から、かすかすに念仏の声が聞こえてきたんだ。まーとか、うーっとかね。最初はたよりない声だったのに、だんだん腹に力が入っちゃって、響くような声になってきた。

その声でぐるぐる回ったら、心が落ち着いてきた。落ち着いた心でぐるぐるぐるぐる念仏を唱えながら歩いているうちに、なにかしらんが、もしかして自分の体の中に仏様がいるんじゃないかっていう気持ちにさえなってきた。

それが、呼吸の大きな力を知った瞬間だったんだ。

# 仏はいったいどこにいるのか

三年籠山をしている時、こんな歳で山に来て若い人たちに混じって修行させてもらえるんだから、人より早く起きてお勤めしようと思った。そこで、夜中から起き出してお参りするようになった。滝に打たれてお清めして、西塔から根本中堂まで歩いていって、お参りして阿弥陀堂から西塔まで帰ってくる。それをずーっと続けていた。

ある明け方、とても美しい光景に出くわしたんだね。阿弥陀堂の近く、眼下に

琵琶湖が見えるところがある。

そこに東から朝日が上がってきて、輝きながら空をあかね色に染めていた。なんとも美しいなあと思いながら、朝日を拝んで浄土院の手前の山王院というところまでやってきた。

すると今度は、白夜のようなほの明るい空に、お月さんがさえざえと照っている。ものすごく澄んだ青い光だった。太陽の赤い光と月の青い光。青と赤の光を感動しながら眺めていて、ふと思った。

そういえば、毎日毎日、根本中堂をお参りしている。根本中堂のご本尊はお薬師さんだ。お薬師さんのわきに日光と月光の菩薩が脇を固めている。赤いのは日光菩薩で、青いのは月光菩薩だなあと。こりゃ、すごいと。

お薬師さんが真ん中に座して、日光菩薩、月光菩薩で三尊仏。お薬師さんが、いままさにぼくに、そういう光景を見せてくれている。

そして、ふっと思った。「それならば、お薬師さんご自身はどこにいるんだろう?」って。キョロキョロしてみたんだけれども、どこにも見あたらない。

そしてハッとした。こちら側にあかね色に照る日光、反対側にさえざえと青い月光。仏さんはその真ん中にいるはずだ。だとしたら、いまぼくが立っているここにいるのじゃないか——。

自分の心の中に如来様がいて、日光と月光が自然のなかに立っている。その真ん中にいるのが仏なんだ。なるほどそうか、仏さんなんて探したっていないんだな、自分の心の中にあるんだな。そう気づいて、しばらく時間の経つのを忘れて突っ立っていた。

仏さんはいつも心の中にいる。自分の心の中に仏さんを見て、歩いていくことなんだな。

# 身の回りに宝がたくさんある

常行三昧の時は、お堂の中でたった一人で念仏を唱えながらぐるぐる回っている。とても静かな世界なんだ。

ある時、シャッシャ、シャーッ、シャッシャ、シャーッ、とお数珠をする音が聞こえてくる。いま時分、誰がお参りに来ているのかな、と思って板壁の隙間からそっと見ても、どうも人のいる気配はしない。

おかしいなあと思いながらも、また拝んでいたら、やはりシャシャシャーッ、シャ

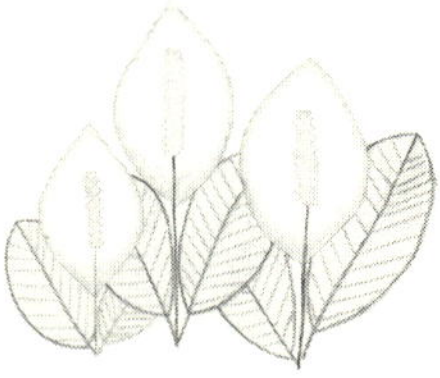

シャーッという音がする。どうしたんだろうと思って、ふと鴨居の方をみたら、鴨居のところにバッタかイナゴのような青い虫が一匹、羽を震わせている。シャッシャッ、シャッシャッと聞こえるんだ。

ずっと静かな中で念仏を唱えているから、耳もさえているんだろう。小さな虫の羽音が、あたかもお数珠をする音のように聞こえたんだよ。

「なんだ、虫が拝んでいるのか。虫も拝むのだなあ」と、まるで友達のように思いながら回っていて、阿弥陀様の周りを三周くらい回ったあたりかな、ぱたりと音がしなくなっちゃった。

おかしいな、どうしたんだろうと思って、鴨居のところを見たらそのバッタがいない。見ると下に落っこちている。死んじゃっていたんだ。

ほんの少し前には、羽を震わせてぼくと一緒にいたのに、もう命が尽きてしまって静かに小さな体を横たえている。たったこれだけのことで、無常を感じた。

それからまた念仏を唱えながら、いつしかぼくの心はバッタと重なり合い、頭の中で自分なりの小説を書き出しちゃった。もしかしてこいつは、昔はぼくらと同じ行者さんだったんじゃないか——。

だけども、何かのはずみで行半ばにしてこのお堂から逃げていったか、何かわけがあって行を中断したんとちゃうかな。それで人間に生まれ変わることができなくて、たまたまバッタの姿で懐かしい茂みの近くに生まれてきた。すると、どこからともなく昔、よく聞いたことのあるような念仏が聞こえる。

いったいどこから聞こえてくるんだろうと跳ねてお堂の中に入ってきたら、常行三昧に打ち込んでいる行者姿の人がいる。

その姿を眺めていたら、いてもたってもいられず、お数珠をするように、自分の羽をこすりあわせていた。そうだ。もしも再び人間に生まれることができたら、もう一度行をしよう。今度こそ満行しようと。

そうして念仏を聞きながら、往生したんと違うかなあ……。そんなことをまるで自分が仏さんになったつもりで念仏唱えながら思って、ぐるぐる回ったことがあるよ。

気がつかないところに、いろんな教材があるんだよ。心を静かにときすませるとその場所その場所で、何かを教えてくれるんじゃないか。身の回りに宝がたくさんあるんじゃないかと思うんだよ。

# 学ぶことと、実践することは両輪

常行堂《じょうぎょうどう》で常行三昧の行をしていた時、えもいわれぬ美しい光景に出くわしたことがある。いまだにあの情景はなんだったんだろうとよく考えるよ。

念仏を唱えながら阿弥陀様の周りをぐるぐる回っていて、ふと気づくと、お堂の壁のほんのわずかの隙間から外からの光がぴーんと差し込んできていた。その光の輪郭がふわふわと霞かもやのようにかすんで、なんともいえぬ神秘的な情景だった。まっすぐに立っているはずの柱が、光に導かれるようにぎゅーっとこち

ら へ傾いて立っているように見えるんだ。

光と空気、柱が素晴らしい組み合わせになってね、造形芸術のような美しさだった。「なんてすごいんだろう」と思った。

それから何年もして、友人の芸術家が作った作品を見ていたら、「あれ、これどっかで見たことあるな」と思った。そういえば、常行三昧の時にこれと同じではないけど、こんなような情景を見たことあるな、と。とたんに、やっぱり若い時に勉強しないといけなかったな、と思った。もし、ちゃんと勉強していれば、必ずその時に忘れないで描写して自分の中でとらえていたと思うんだよ。芸術に堪能だったら絵を描いただろうし、筆が立ったら克明に描写して書き残しておけたのに、と。だけども残念ながらそういう勉強をしていないから、ぼんやりと頭に残っているだけでね。もったいない気がするよ。やっぱり若い時勉強しないとあかんなあ、とつくづく思ったね。

天台では「教行《きょうぎょう》一致」といって、教えと行うことは一体にならなきゃだめだと説いている。知ることと実践すること、どちらも大事なんだ。孔子も「両輪のごとく」と言っているけれど、同じ轍《わだち》で走らないと車が傾いてしまって走れないように、物事にはその二つの要素が必要なんだね。

「おれは行をやった。もしも勉強もしていたら、相当すぐれたやつができたんじゃないだろうか」って、自分ながら時々悔しい時がある。どんなに勉強が嫌いでもやっぱり学ぶべきは学ばなきゃだめだと。ただ学ぶだけではなく、自分でこなせるような学び方しないといけないんだなあとかね。

お母さんが小さい子を連れてやってきて、「うちの子、勉強しないんです」なんてぼくのところに相談に来ると、「あじゃりさんも勉強したらええと思うけどなあ」って言ってその話をしてあげるんだ。子供たちも、「やっぱりそうかなあ」ってうなずいているよ。

逆に、いかにも勉強だけしているらしく、口ばっかりで親の話聞かないやつがいたら、「頭でっかちになってたって実践しなきゃだめ。知っていることを自分の体で表すことができるか」って聞く。学んで難しいことが理解できても、実践しなかったら意味がない。たとえば芸術をどんなに学んでも、自分の手で線を引かなきゃ作品はできないでしょうと。「お母さんの言うことを聞いて、やることはちゃんとやらなきゃだめだ」って言ってやるの。納得したような顔をしているよ。両方大事なんだね。

# ゆっくりと、時間をかけて分かっていくことがある

行を終えて体が元に戻るには、行をやった時間の三倍かかる。たとえば、九〇日間お堂に籠もって寝ないでお経を唱えながら阿弥陀仏の周りをぐるぐる回る「常行三昧」という行では、九〇日やったら一年近くかかる。ゆっくり、ゆっくりね。

体のことだけじゃなく、心の方もやはり同じなんだ。九〇日の間に感じたいろいろなことを、「ああこういうことだったのか」「なるほどそういうことかもしれ

ない」——と腑に落ちるのには、一年以上はかかるというわけだ。実際一年くらいゆっくり時間をかけて振り返ると、あまり偏った考え方でなく、なめらかに考えられるようになる。

やがて、自分の感じたことをタンスの中にしまっとくんじゃなくて、表に出して、みんなに知ってもらいたいと思うようになってくる。

ともかく実践すること、とぼくはよく言うけど、実践してその意味がすぐ分かるというものではない。やはり理解するのには時間がかかる。

仏教でいう「感得《かんとく》」とは、字の如く〝感じて会得すること〟だけど、自分なりに消化して、心の糧《かて》にすることなんじゃないかな。

昔の人は葉が落ちるのを見て悟りを開いた、なんていうよね。たとえば、秋に目の前で葉が落ちていく。知識という面から考えれば、植物はこういう変化をする、そりゃ枯れりゃ葉っぱが落ちるじゃないの。枯れる仕組みは知っているよ、となる。しかし目の前で落ちる葉を眺め、また来年になったら青く茂ってくる、それを眺めるなかで、ああ生命っていうのは一回でおしまいじゃないんだなあ、つながっているんだなって気づいていく。こういうのが、「感得する」ということなのじゃないかと思う。

すぐに分からなくていい。時間がかかってもいいから、自分が実践してみたことや体験したことの意味を、大切に考え続けてみるといい。「ああ、あれはそういうことなのかもしれない……」と思ったとき、自分のものになっているのに気づくだろう。

## ●常行三昧

ひたすらそればかりしていることを、ぜいたく三昧、温泉三昧、読書三昧などと言ったりするが、「三昧」は仏教に由来する言葉だ。サンスクリット語の「サマディ」から来ており、雑念を去り、心を一つに定めて動揺しない状態を言う。

比叡山には、四種三昧《ししゅざんまい》という修行方法がある。四種のうち第一は「常坐三昧」で、九〇日間昼夜坐禅し続ける。眠気を覚ますための歩行、食事、トイレ以外は正座して堂に籠もる行だ。

第二の「常行三昧」という行は、阿弥陀仏の周りを昼夜ともに念仏を唱えながら九〇日間、一日二〇時間以上歩き続ける。座臥《ざが》してはならず、一メートル四方の縄床《じょうしょう》で二時間の仮眠のみ許される。常行三昧堂《じょうぎょうざんまいどう》とは、この行をするために建てられた仏堂である。堂の中心に阿弥陀如来を安置した方形の堂であり、屋根は宝形造《ほうぎょうづくり》が多い。

「常坐三昧」「常行三昧」ともに、現在も比叡山西塔の法華堂と常行堂で行われている。この二つの堂は渡り廊下で繋がっていて、この廊下を持って弁慶が二つの堂を持ち上げたという伝説から「弁慶のにない堂」とも呼ばれる。

第三が「半行半坐三昧」で坐禅と歩くことを半々に行うもの。第四が「非行非坐三昧」でその他のあらゆる修行法が含まれる。

# 第四章　命

# ほっこり温かな祖父母のぬくもり

生まれたのは、大正一五年九月五日、大阪の玉造《たまつくり》だよ。五歳の時に、父親が事業に失敗して、一家で東京に移ったので、大阪のことはほとんど記憶がないんだけどな。

一番上は姉で、ぼくは二番目に生まれた。それから次々弟や妹が生まれて一〇人きょうだいになった。最初のころは姉と二人きょうだいだったから、かわいがられていたんじゃないかな。まさに惣領の甚六というのか、のんびり、ぼけっと

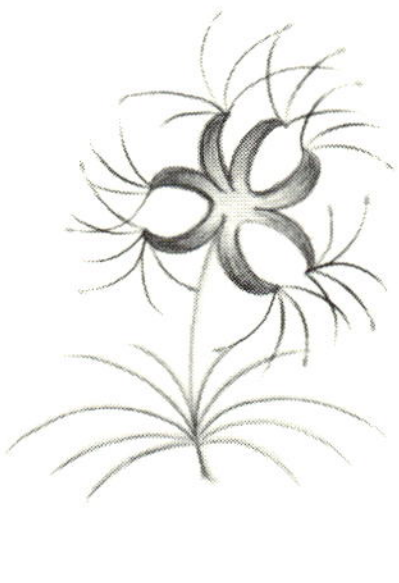

した子供だったそうだよ。日向ぼっこが好きでな。まあ、いまとそんなに変わっていないかもしれないけどな。

うんと小さい時は、おじいさんやおばあさんがいて、かわいがられていたなあ。そのころ、炊いたご飯を入れるおひつさんの上に、ご飯がさめないようにわらでふたをしていたんだ。そのふたをとってくれてね、座布団を敷いて、そこに座らされてな。ほかほかとあったかくて、気持ちがいいんだよ。ねんねこ着せられて、おじいさん、おばあさんに甘えてな。

それから妹や弟たちが生まれて、にぎやかになっていったけどな。

いっとう最初の記憶は、ほっこりとあったかなおひつさんのぬくもり、おじいさんやおばあさんの愛情だな。ああいう子供のころの感触は、心のどこかにいつまでもずーっと残っているものだな。

今の時代の子供たちも、やっぱり、幼いころにちゃんと、心にあったかなぬくもりを感じるといいなあと思うんだ。

# 大きな父の背中におぶわれた冬の日

父親の記憶はいくつかあるけど、よく覚えているのが背中だな。
あれはまだ小学校へ行く前だから、五歳くらいだろうか、冬の寒いときに、掘りごたつに潜り込んでいたんだ。やぐらがあって、炭をおこして入るこたつだった。
中にいたもんだから、今で言う一酸化炭素中毒になっちゃった。親がぼくのことを探して、どこを探してもいないから、こたつの中を見たら、子供が丸まっているわけだよ。「こら」って引っ張り上げたら、意識不明になっていてでれーっとしてたんだな。

それで大騒ぎになって、父親がぼくを背負って、小児科病院までずーっと走っていったの。冬だったから、寒い空気が入ってきたからかな、ちょっと気がついたのは覚えているんだ。大きな背中におぶさりながら、あったかくていい気持ちだなと、半分くらい眠りながら思っていたの。

病院まで遠かったんだけど、冬のさなかに、必死で走って連れてってくれてね。病院に行ったら注射打たれたんだな。それで回復したんだ。

危なかったといえば、頭に大きなこぶのようなものができて、それが膿《う》んじゃって、ザクロのようになったことがあるよ。父親や近所の人たちやみんなしてぼくを押さえつけて、だれかがカミソリで切開してくれたの。

うちの父親は、テキ屋さんを辞めて、次にどこかにお勤めしたんだけど、その時に青年を一人、面倒みてたわけ。自分が食うや食わずなのに、そんな面倒見のいいところがあってね。

家に居候していて、親父と一緒に仕事して帰ってきて、母親が彼の衣類を洗濯してやってたわけ。あとで聞いた話なんだけど、その若い人がね、よく遊びに行ってて、それで性病になってたらしい。

母親が知らないで洗濯やなんかしてる時にそばにぼくがいて、感染しちゃったらしいんだ。目やなんかが朝になって開かなくて、目やにがいっぱい出ちゃって。硼酸《ほうさん》かなんかで見えるようになったり。そういうのが続いている時に、頭がふくらんできちゃって。

幼いころの親が本気で心配してくれたり、おぶって病院まで走ってくれたり、そういうことは、いつまでも忘れないもんだな。ふれあいとか絆とか、肌の感覚でもって覚えているものなのかもしれない。

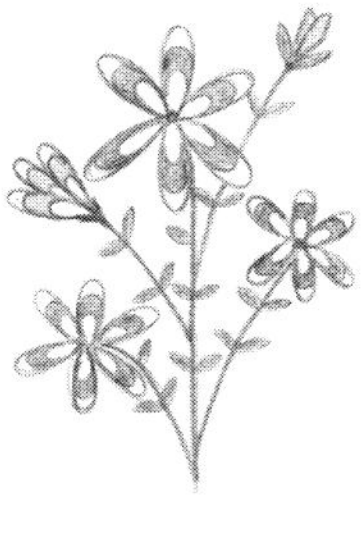

# 子供はおぶったりおぶわれたりして育つ

うんと小さいころは、姉と二人きょうだいで、長男だし大事に育てられていたんだと思う。のんびり、甘ったれだったんじゃないかな。それから次々と妹や弟が出てきてからは大変だったよ。末っ子が生まれて、ついに一〇人きょうだいになったんだ。

戦争中、「産めよ増やせよ」なんていう時代には、うちの母親はいっぱい子供がいるってことで、どっかから表彰されたんだって。新聞社へ連れて行かれて、インタビューを受けて、それがなにかに載ったたって話してた。

それだけ子供が多いと、にぎやかなんてもんじゃないよ。いつも大騒ぎだよ。親からもらうものは何でも早い者勝ち。子供たちに均等にくれるのに、包んである袋のひねり方でもって、大きく見えたり小さく見えたりして、「お兄ちゃんの方が大きい」とか「いや小さい」とかな。一番入ってそうな袋を巡っていつも争奪戦が繰り広げられる。ご飯のおかずなんて、まごまごしてると、だれかに食べられちゃって、自分のぶんなんてありゃしない。しょっちゅうけんかしては怒ったり、泣いたり泣かされたりしていたな。

きょうだいの中でもいじめみたいなのがあった。「お前は橋の下から拾われてきたんだ」なんてこと、よく言い合ったよね。でも「手が足りないからおぶってろ」と言われれば、小さい弟や妹たちをおぶってね。

年がら年中わあわあ、わあわあ子供たちが言っているから、母親は育てるだけで精いっぱい。とても勉強の心配なんてしていられない。

近所にも子供はいっぱいいた時代だったから、年上の兄ちゃんのいるところに宿題を教えてもらいにいったりな。夏休みの宿題の時は大変だったな。昔はどっさり出されたから、間に合わない。一番最後の日になって、あわてて近所に聞きにいくんだけど、みんな同じようなことになっているからおっつかないの。

そんなふうに、きょうだいや悪ガキ仲間らと触れあいながら育ったのは幸せだったなあと思う。

今でも子供のいっぱいいる家庭を取り上げたテレビ番組なんかを見ると、懐かしくなっちゃうの。昔の我が家を見ているみたいで。「おれ知らないうちに大きくなっちゃったけど、親はずいぶん苦労があったんだろうなあ」、なんてしみじみ思ったりして。

子供はみんなわがままだけど、けんかしたり泣いたり我慢したりしているうちに、だんだんと人の気持ちが分かってくる。おぶったりおぶわれたりしてな。くっつき合って寝たり。そういうぬくもりから、なんともいえない、伝わるものがあるんだな。

そうして、だんだんだんだんだんと、心が育っていくものなんじゃないかな。比叡山を歩いていると、猿がいっぱいいるんだけど、木から木へと飛び移る母猿によく小さいのがしっかりしがみついている。人も動物も同じ、ぬくもりで繋がっているんだな。子供のころに、親子や子供同士でしっかりと触れあえるといいよな。

# 夜店で母が隠した父の姿

ぼくの父親は大阪の米屋をやっていてね、ばくちが好きだったもんで、米相場に手を出して失敗してしまい、とうとう家がなくなっちゃった。

ぼくは子供のころはのびのび、のんびりと生きてきたから、家が火の車だろうがよく分からなかったんだけど、父親は失業して大阪から東京へ出て行っちゃったんだなあ。父親の兄が歯医者さんやってたんで、それを頼って、早稲田の鶴巻町というところへ単身で行った。歯科技工士になって手に職をつけるつもりだっ

たらしいんだな。一年か二年くらいは離れて暮らしていた。

でもうちの母親が、やっぱり夫のもとへ行くといって、親戚やきょうだいの反対を振り切って姉とぼくを連れて東京に追っていったんだ。

姉が七つ、ぼくが五つくらいの時かなあ。だからぼくの下のきょうだいはみんな東京で生まれているんだ。いい悪いは別として、夫婦の絆っていうのか、母親の思いは素晴らしいものがあるなあと思うんだよ。親父が失敗しちゃっても、夫婦なんだから応援にいかなければって、行けば苦労することは分かっていて、子供の手を引いて当時は汽車で一日かかる大阪から東京へ行ったんだもんな。

あのころ、早稲田の路面電車の通るところに夜店が出ていたんだ。友達がこぞって行ってはその話をしているので、ぼくも行きたくて仕方がなかった。でも、どんなに頼んでも母親は頑として行かせてくれない。なんでだろう、と思っていた。

それでも、あんまり行きたがるので、母親も根負けしたのか、あるいはたまたま通りかかったのか、一度連れて行ってくれたことがある。

にぎやかだなあ、楽しいなあと思いながら歩いていたら、母親がいきなり、ぼくの顔を隠したの。あのころは子供はみんなマントを着ていたんだけど、そのマントをほっと取ったと思ったら、すっぽりと頭にかぶせちゃったんだ。見させてくれないの。隙間からそっと見たら、輪投げ屋さんのところに父親の姿があった。

父親は東京に出てきて歯科技工士になろうとしたけど、結局だめで、仕事がないからテキ屋の手伝いのようなことをさせてもらってたんだな。

母親は、そんな姿を子供に見せちゃいけないと思って、隠したんだね。それを鮮明に覚えているな。どんなに苦しい時でも、子供の前では親父を立ててやりたかったんだろう。

それから父親はいろんな商売をしたけど、なかなかうまくいかなかったし、借金取りに追い回されたこともある。きょうだいが一〇人になって、戦争があって、家はずっと火の車だったけど、それでも家族の絆がしっかりとあった。それは母親が父親を大事にして、いつもどっしりと構えていたからじゃないかと思うんだ。

# 心と心が繋がっていた父と母

暮らし向きは決して楽ではないながらも、家族でわいわい言いながらぼくたちはにぎやかに楽しく暮らしていた。けれど、ぼくが子供のころの日本の政情は、次第に不穏な空気に包まれていった。

昭和一一年に二・二六事件があって、昭和一二年、盧溝橋事件を契機に日中戦争に突入していった。昭和一三年、父親は軍人ではなかったけど国家総動員法が施行になったので、召集されて戦地へ行ったんだ。

一家の大黒柱が戦争に取られて、母親が一人で家を支えなくちゃいけなくなってしまって、さぞ大変だったろうな。いったいどうして暮らしていたんだろうと、今でも思うよ。

召集されて中国へ赴いた父親は、バイアス湾の敵前上陸作戦で、まさに上陸しようとしたその時に、流れ弾が足に当たって重傷を負った。内地に送還されて、大阪の金岡陸軍病院に収容されたという知らせがあった。そこにしばらくいたんだ。

ぼくらは東京の中野に住んでいたから、父親が日本に帰ってきても離ればなれだった。兵隊さんになっているし、病院は大阪だし、おいそれと会いに行くこともできなかった。

ある時、金岡陸軍病院に慰問のために演芸隊かなにかがやってきたとかで、その様子がラジオで放送された。

母親はそれを新聞かなんかで知ったんだな。うちにはラジオがなかったから、窓を開けて、隣の家から聞こえてくるラジオの音を窓枠にもたれかかるようにして耳をすませて、懐かしそうに聴いていたんだ。

あの姿は忘れられないねえ。母親はいま病院で聞いている親父と心を重ね合わせて、同じような気持ちで聴いているのかなあ、と子供心に思ったもんだ。離れていても、心と心が繋がっている。絆っていうのはそういうことなんだよな。

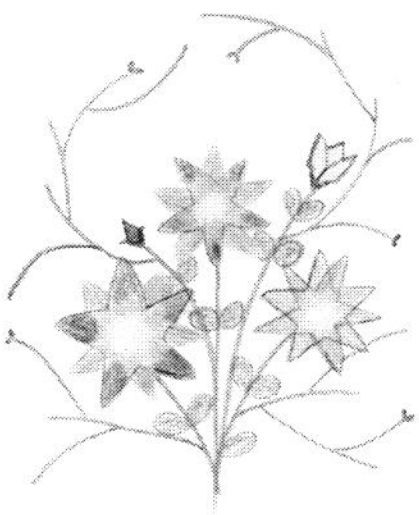

# 東京大空襲の時に鹿児島で見た夢

太平洋戦争の末期、ぼくが熊本県の人吉の予科練にいたころ、戦況はどんどん悪化してきた。基地に連日のようにＢ29が来襲して機銃掃射を受けていた。そんなころ、不思議な夢を見たんだ。

夢の中でぼくは自分のうちの近くにいるんだ。風がびゅーびゅーっと吹いていて、向こうの方にうちの明かりが見える。

近所の人たちが「あの明かりを消せー」とか、「明かりがついていると標的にされてやられるぞー」と叫んでいる。でも、うちの光はちっとも反応しないで、明かりが消えない。ぼくもうちに駆けていって、消そうとするんだけど、近づくとどこのうちだか分からない。そのうちに、むちゃくちゃにバーンとはじけたり焼けたりしてね、そこらじゅうの家々がバラバラになっちゃった。

崩れた家の中から母親が手を出していた。ぼくは「手を出せー、手を出せー」って怒鳴りながら必死で手を伸ばす。母親の手はすぐそばにあるんだけど、じれったいほど、なかなかつかめない。ようやく手を握ってやっと引っ張り上げた時に、目が覚めたんだ。

あんまりすごい夢だったからショックで目が覚めちゃった。「あの夢は、もしかして……」って、なんだか胸騒ぎというのか、いやーな感じがしたんだね。

それから一週間くらいたった時かな、東京の方へ行っていた兵曹が鹿屋に帰ってきた。「東京はえらいことになってるぞ。焼き尽くされちゃって。私はもうここに帰ってくるのも大変な目に遭った。東京は何にもないわ……」って話すんだ。

昭和二〇年三月に続いて、五月にもあった東京大空襲で、東京の市街地は焼け尽くされたという。「もしかしたらあの夢は……。母親の手を引っ張ったけど、助かったかなあ」って心配になった。

後で聞いたら、ちょうどぼくがその夢をみた時、激しい空襲に遭って家は焼け、母親はきょうだいたちの何人かを連れてずうっと逃げ惑っていたそうだ。

空襲が終わってから、母親がどこかをふらふらと歩いていたら水が出ていて、熱くてお腹も空いちゃって、そばにあった洗面器でちょろちょろ流れている水を受けて、いっぱい水飲んだって。落ち着いてから、そこの場所を訪ねてみたら、焼けた街の中に、ぼろぼろになった汚い洗面器が転がっていたそうだ。ずいぶん後になって、母親がそんなことを話していたっけな。

とにかく、すごい空襲だったそうだ。ぼくの家族はみんな、それぞれあっちいったり、こっちいったりしてちりぢりに逃げたけど、幸い、みんな助かったの。

あの時見た夢は、何だったんだろうな。あの時分、ぼくだけじゃなく、よくそういう話があったんだよ。みんな生死のはざまにいたからかもしれない。人と人の繋がりというものは、はかりしれないものがあるよな。

# 死を目前とした兄と弟

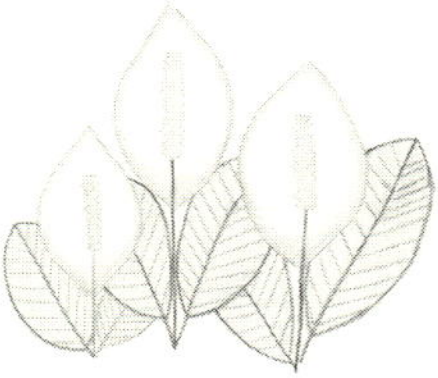

熊本県人吉の予科練、宮崎の航空隊を経て、いよいよ日本の敗戦の空気が色濃くなった昭和二〇年六月、ぼくは鹿児島県鹿屋の飛行場に転属になった。
鹿屋は最前線の特攻基地だったから、朝鮮半島などにあった日本海軍の航空基地から飛行機がしばしば飛んできて、鹿屋の基地で待機してから調整して、再び敵地へ飛び立っていった。生きて帰らぬ、片道燃料だけの出撃だった。
鹿屋にいたぼくの友達が、朝鮮から来た特攻隊員と話しているのを見たことがある。朝鮮から来たのは兄さんだという。朝鮮半島の仁川《じんせん》にあった航空基地から飛行機を調整するためにやってきたんだ。たまたま鹿屋には自分の弟がいる、というのを伝え聞いて会いに来たそうだ。

今でもよく覚えているんだけど、二人は少し沖合の海の見えるところに並んで、じっと話していたね。二、三時間もそうしていたろうか。

二人が会ったのは、それが最後だよ。兄さんの方はその夜に飛び立っていって、そのまま帰ってこなかった。あんときの二人の気持ちってどうだったろうかと思うよ。二人ともおそらくまだ十代だったろう。死んでいく兄貴とそれを見送る弟と……。「お前、もし生きて帰ったら、母さんのこと頼むぜ」とか、家族のことやなんか、話していたんじゃないかと思うんだよ。

弟の方も、それから間もなく特攻へ行って帰ってこなかった。戦争って、なんとむごいものだろうかと思う。死を目前にしても人は、最後まで家族を思いやるもんなんだな。

# 一生懸命生きる背中を子供に見せる

父親が米屋をつぶして東京に出てきて、いろんな仕事を転々として、子供はいっぱいいて、いつも家は火の車だったと思うんだけど、母親は泣き言一ついわないで、家を支えていた。

結婚前、娘時代には住友倉庫に勤めていて事務をしていたらしい。その時の洋服や何かを質屋に入れて、行ったり来たりしているうちに、とうとう、流れちゃったりね。

ぼくがいくつの時だったか、ついにお金がなくなっちゃった時に、カタクリを採ってきてお湯に溶いて、子供の数だけお茶碗に分けて、「今日のご飯はこれよ」と言われて食べたこともある。

母親はいろんな内職してたてね。あの仕事やったら率がいいとか聞くと、できもしないのに訪ねて行っては「やらせてください」と頼んでいた。親父の収入はおぼつかないし、子供は食べさせないといけないから必死だったんだね。

内職で綿入れの着物を作っていたこともある。ぼくも何度か届けに行くのについていったことあるけど、持って行くと、呉服屋のおやじが文句言うんだよ。ここがだめだ、あそこがうまくないって。母親は「すみません、すみません」ってひたすら頭を下げてな。「またうちのお母ちゃんは文句言われてんなあ……」なんて子供心にせつなく思いながら、縮こまって聞いていたっけな。

戦後、父親は株屋の代理店を始めた。ぼくも手伝いに行ってたんだけれども。いまみたいに相場がコンピュータでざーっと出てくるんでなく、一つ一つ電話で入ってくるんだ。それを黒板にちゃっちゃっと書いてな。

うまく行っていた時もあったが、スターリンが亡くなった時、市場の大暴落が起きた。その時に全部パンクしちゃった。人様の株も下駄を履いたり、飲んじゃったりしたやつがたくさんあったので、収拾つかなくなっちゃった。あの当時のお金で一億近いお金をみんななくしちゃったんじゃないかな。

借金取りは押し寄せて来るし、脅されるし、大変だった。母親は玄関にデンと座って、「一生懸命やってなんとか返しますから」とひたすら頭を下げていたんだ。払えないものは払えないんだけど、懸命に言い逃れをして。

肝心の父親の方は、耐えきれずに家出をして行方不明になっちゃった。ある時、近所の人が「酒井さん、どうもお父さんらしい人を見かけましたよ。高円寺の駅のベンチのところにいたよ」って。母親が飛んでいったら、親父がふぬけのようになっていたんだって。よう死ななくてよかったなと思うくらい。

結局、母親があらゆるつてをたどってかけずり回って、弁護士にも頼んで話をつけてもらい、借金取りが来なくなったんだ。

あの時の母親の姿を思い出すと、男より女の方が強いなあとさえ思うんだよ。父親の方は意気消沈して逃げちゃったのに、帰ってくるあてもないのに、母親は必死でがんばっていたからね。子供は放り出せないからね。

子供にとっては、貧乏でもお金持ちでもいいんだよ。親が一生懸命生きている、その背中を見せてやることじゃないかな。

# 命が尽きれば死んで、他の命を支えるんだよ

千日回峰行は、「不退行《ふたいぎょう》」といわれていて、いったん行に入ったら、途中で辞めることは許されない。首つり用の死出紐を肩に掛け、自害用の短刀を下げ、三途の川を渡る時の六文銭などを持参して出発する。行を続けられなくなったら自害せよということだ。

最初はそれなりの覚悟で行に入ったんだけれど、山を歩いているうち、「死」というものの受け止め方がまったく変わってきたんだ。

山は、同じ道を歩いていても、一日として同じ日はない。毎日毎日、表情を変える。季節とともに緑が濃くなり、花は咲きほこり、散っていく。紅葉し、葉は落ち、また季節が巡り芽を吹く。

動物たちも愛らしい姿を見せて行く。ぼくが歩いていると、ウサギや鹿が遠巻きについてくることもある。翌日姿が見えないと「あいつら、どこへ行ったかな」なんて思ったりな。

自然の中では、たくさんの生き物たちが繋がり合って生きていて、そして時期が来れば枯れたり、死んだりしていく。どの生き物も、命が尽きれば他の生き物たちを支えるんだよ。

行の最中、力尽きてここで倒れて死んだら、ぼくの体は小山の土になるんだなあと思った。それがうれしいような気がした。いろいろな生き物たちの栄養になれるなら、それは幸せなことだなあと。

今でも、どこかを歩いている最中にパタッと倒れて、そこで埋めてもらって土に還ったらいいなあと思うんだよ。外国だったら、「どうやら日本人のようだがなあ」なんて言われたりしてな。

だから、「おれが死んだら、念仏はいらないよ」ってよく言っているの。坊さんが坊さんに経を上げてもらうなんてちょっと照れくさいしな。死ぬときは「じゃあ、ちょっとそこまで出かけてきますわ」なんていうのがいいな。

## ●大阿闍梨

あじゃり、あざりとも読む「阿闍梨」は、サンスクリット語の「軌範」を意味するアーチャーリヤが由来とされる。日本の仏教界では、弟子たちの規範となり、法を教授する師匠のことをいう。

修行の師となる高僧を指す「教授阿闍梨」、仏法を伝授する「伝法阿闍梨」などがある。伝法（術・経文など維持発展に必要な総ての要素）の灌頂を受けた者がなる。

比叡山・伊吹山・愛宕山などの七つの山で五穀豊穣を祈る儀式を行う寺院において祈願の勅命を与えられて導師を務める者がなるのは「七高山《しちこうざん》阿闍《あじゃ》梨《り》」という。

また、伝法阿闍梨のうち特に徳の高い最高峰の尊称を「大阿《だいあ》闍梨《じゃり》」という。天台宗では難行「千日回峰行」を遂げた修行僧に「大行満大阿闍梨」という尊称が与えられる。

# 第五章　調和

# 桜は、精いっぱい咲いている

千日回峰行は、春の初めの三月二八日から歩き出す。山の中はまだ残雪があったり、春の雪に見舞われたり、「寒い、寒い」と思いながら歩いていく。

そのうち、桜の芽がふくらんでくる。もうだいぶふくらんできたなあと思うころ、一輪、二輪と咲いてくる。日に日に花の数が増えてくる。

「今年も桜が咲いたな」と思いながら「明日また来ます」って桜に言いながら歩く。その時々の桜を見ながら、自分なりに桜を楽しんでるんだ。

夜明け前に歩き出すから、闇に白い花が浮かび上がって、たいそう美しい。普通の人は夜桜見物しようと思ったらいろいろ仕事を休んだりいろんな段取りつけて来ないといけないじゃない。「人のいないところを堂々と、自分の庭のような顔をして歩いて、毎日夜桜見物してるなんて、おれは幸せな男やなあ」なんてつくづく思ったもんだよ。

「願わくば、雨を降らせないように、散らせないように、花が咲き続けてほしいよねえ」なんて思いながら、「明日ね」って桜にあいさつして、毎日歩く。そのうちだんだん散っていく。

桜には、日本人独特の悲壮感のようなものがあるでしょう。散っていく情景に寂しさを感じて、人生の最期を重ね合わせたりして。でも、桜をずーっと見ているうちに、桜にしてみたらそんなふうに思われたくないんじゃないかって、思うようになったんだよ。

桜は咲くことで精いっぱい、「今年も咲きましたぞー」ってみんなに教えてくれているんじゃないって。来年はもっと良い花を咲かせようと思って、またがんばってくれているのとちがうかなって。桜がぼくにそう教えてくれたような気がしたんだよ。散ったからといって、寂しがることないんですよって。

いい花に咲いて、みんながお花見に来てくれて、「今年も咲いた咲いた」ってみんなに喜んでもらうことに、咲くっていうことに意味を感じて、誇りを持っているんじゃないか。よし、来年はもっといい花を咲かせましょうってね。

桜は散っていって、また来年に向かっていくんだよ。だから、「今年の桜は精いっぱい咲いて、とにかくみんなを楽しませているなあ」ってうれしく思うようになった。

力の限りに咲き誇る桜を見ながら、ぼくもみんなに楽しまれたり、喜ばれたりするような生き方をしてみたいなあ、そんな生き方ができたら最高だなあ、なんて思ったんだ。

# 人は自然の中で生き、生かされている

「たった一人で行に挑んだんですね」、よくそんなふうに言われる。一人で山中を礼拝して歩くというと、黙々と孤独に行に打ち込んでいるようだけれど、寂しいとかそんなことは全然なかったんだよ。

二匹の犬をお供に連れていって犬たちと話をしてたんだ。「おいこら、なにしてんの」なんて話しかけると、クンクンなんて返事したりして。しばらく姿が見えないと、時々犬たちの名前を呼んでみる。そうすると、のこのこってそばまで

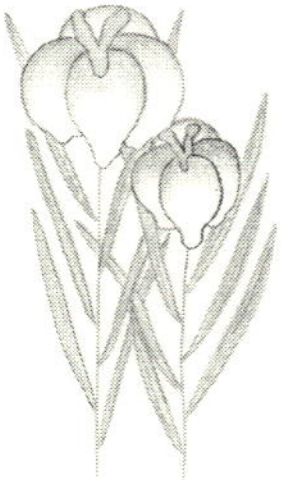

来てね。「おお、そこにいたんか」なんてしゃべりながら一緒に連なって歩いていたの。

やぶの中を行くと、ガサガサガサッて、犬たちとはまた違った、葉や木の枝、雑草がすれる音が聞こえてくる。すると、イノシシだとかウサギだとか、鹿だとかが、ちょっと離れたところから警戒しながら並行して歩いていたりね。

次の日、また同じところを通って彼らの気配がないと、「昨日のあいつは何しているんだろう。どうしたのかな」なんて思ったりするわけ。いつのまにか仲間になっちゃってる。おかしいけどな。

動物たちだけじゃない。花たちが咲き乱れ、若い緑に包まれる季節があって、雨が降りしきる梅雨がある。雨も、最初のころはなるべく濡れないようになんて思うけれど、だんだん平気になる。雨が降るから緑が濃くなるんだ。

やがて蒸し暑い夏が来て、また月日が流れて空気がひんやりとしてくる。山が次第に紅葉を始める。

山を歩いていると、いつしか自然の中に溶け込んで、自然と一体になっていると感じるんですね。

人間だって自然の一部。自然はいろいろな命が繋がり合っている。たった一人で生きている人間なんてだれもいない。だれもが、いろいろな命の中で生かされているんだな。

自然と離れて生活しているとそれを忘れてしまうけれど、自然の中に身を置いてみると、ああ一人ではないんだなあ、としみじみと思うよ。

愛犬金チャンとの心なごむひととき

# 重い荷物を負う中国の子供たちにみた「大志」

一〇年以上前になるけれど、中国安徽省の九華山《きゅうかざん》というお地蔵さん（地蔵菩薩）の聖地にお参りに行ったことがある。

聖地にたどり着くまでに、二五度から三〇度くらいの急勾配の道が七キロ続いている。そのうちの四キロまでは自動車で行けるんだけど、そこから先は徒歩で行かなければならない。

われわれが歩いていると、並行して労働者の人たちが、肩に大きなざるの天秤を掛けて建築の材料を運んで登っていく。頂上のお寺で工事をするという。杖を持ちながら歩いて、くたびれるとその杖をつっかい棒にして、ざるをひっかけて休む。そうして汗をかきかき急勾配を登っていく。見るからに重労働だった。

すると、後ろの方から、小学校三年生くらいの子と小学六年生か中学一年生くらいの子が、ざるを持って大人の列について上ってくる。

こんな子供がと驚いて、「なんでこんなことをしているの?」と聞いたが、答えない。「あのおじさんたちは、いくらもらっているの?」と聞いたら「上まで運んで一五〇元」という。当時の日本円で計算すると、一五〇〇円くらいだった。「じゃあ、あんたたちも一五〇元もらえるの?」と聞いたら、「違う。私たちは子供だから半分なんだ」と。

「下から上まで上がっているのは同じじゃない」って聞くと、「持っているものが半分だから半分しかくれない。七五元なんだ」。

ぼくたちはその人たちを追い越して、お地蔵さんの聖地でお勧めして、拝んで三〇分くらい休憩して、下り始めた。すると、再びさっきの子供たちと行き会った。大人たちに一〇〇メートルくらい遅れていたけれど、ちゃんとついてきていたの。

「もらったお金はお父さんやお母さんにあげるの？」と聞いたら、「違う」という。「ノートと鉛筆を買いたい」という。「ノートと鉛筆でどうするの？」と聞くと、「それで勉強して北京に行きたい」とはっきり答えた。

それにはびっくりした。そんな子供がしっかりと大きな目的意識を持って、自分の体を削ってまで「将来はこうなりたい」、という強い思いを持って、重い荷物を抱えて急勾配を登っているんだ。

世界にはそういうような人たちがいるっていうことだね。別に中国をほめるとかじゃないけど、そういう人たちがいる、そういう現実があるっていうことを知っておいたほうがいい。

そうやってがんばってきた人たちは根強いよ。簡単に負けないよ。今の日本の若い人たちにも、自分の人生はこうやっていくんだというのを見つけてほしいと思う。困難も、苦労もはねとばして、自分の人生を大きな目で見つめて、自分の道を歩いていく。そんな力をつけてほしいと思うんだ。

# 心のありようはいろいろなものに作用される

九〇日の間、ひたすらお経を唱えながらぐるぐる回る「常行三昧」という行が終わりに近づいてくると、行が終わったらとにかくしたいと思うことがある。「大の字になって畳の上ででーんと寝てみたいなあ」ということなんだ。この行の間はずっと歩いているでしょう。休む時も柱に渡した木の棒にもたれるようにして少し休むくらい。ずっと体を起こしたままだからね。とにかく、ただひたすら横になってみたいなあと思うの。

行が終わって、まっさきに畳のところに行ってでーんとひっくり返って寝転んだ。畳はいい匂いがしてね。本当に気持ちが良かったなあ。あれはいまだに忘れられないね。

終わったのだから、もう何をやってもいいのだけれど、ずっと九〇日間ひたすら行をやっていたから、しばらくはその感覚が体に残っている。後遺症かもしれない。

寝ていて目が覚めると、「ああ、大変だ。うっかり寝てしまった。おれはこんなことやってられないんだ」と大あわてしてしまう。

そうして目が覚めて、進んで行こうとしたら、目の前に一面の大きな木の壁があって通せんぼされている。その壁は大きくて、ずーっと囲われていて、どこを見ても逃げる場所がない。

「なんでおれは何も悪いことしてないのに、こんな木の牢屋に入れられなきゃならないんだ……」って焦ってしまった。やがて、じっと目の前の壁を見るうちにだんだん冷静になってきた。

なんだ、目の前に見えるあれは、天井じゃないかって。

毎日立って前を向いて歩いているでしょう。そうすると、目の前にあるものはすべて真正面にあるものだと思い込んでしまうんだよ。寝ていて見える天井だって、天井には見えず、壁に見えてしまう。

習慣っていうのはそれくらい人の感覚を狂わせてしまうんだな。たった九〇日であってもだ。人間のものの見方や心のありようっていうのは、いろんなものでどうにでも左右されちゃうということを学んだんだ。

だから自分から見て、どんなに正しいと思えることでも、もしかしたらいろいろなことにとらわれてそう見えているのかもしれない。自分がどんな立場でそれを見ているのかということをいつもいつも確かめないといけないんだな。

# 本当は同じものを見ているのかもしれない

世の中、争いが絶えない。大きな戦争や小さな論争、いざこざ……。どうしてそんなことになるんだろう。

たとえば、円筒形のもの、ペットボトルが目の前にあるとしよう。その周りに三人が座っているとする。

ある人からみると、ペットボトルの商品名が見えるから、このものは「これは○○（商品名）だ」と主張する。別の人からみると、イラストが見える。だから

「これは山が描かれている」と訴える。真上から見ている人には、丸いものに見える。だから「これは丸いじゃないか」となる。

「いや、違う」「正しいのは自分だ」「それは違う」……、そんな言い争いが多いんじゃないか。

本当は同じものを見ているってことはないだろうか。見方が違うだけで。人の目は、自分はちゃんと見ているつもりでも、角度や視点、経験、いろいろなもので案外簡単に左右されてしまう。ぼくも、毎日立ったまま歩き続ける常行三昧という修行の後で、九〇日ぶりに横になった時に、天井が目の前に立ちふさがる壁に見えて驚いたことがある。

争いになった時には、とかく相手を負かそうと躍起になったり、自分は絶対に正しいということを主張しがちだけれど、どうして意見が違うんだろうと考えたり、じゃあ何か「根本的な原点」はないだろうかと探してみる姿勢が大事なんじゃないかな。どうしても右と左の折り合いがつかないなら、真ん中、「中庸」を採るのもいいだろう。こっちはこっち。だが、あんたたちの言っているのも分かる、と。

ものごとを一つだけ見て、パパパパッと見てやってちゃいけないっていうことだよ。ゆっくりと構えてな。

仏さんは、人間がたわいのない子供みたいな言いっこしているのを見て、「知ったかぶりしおって」ってあきれているかもしれないよ。

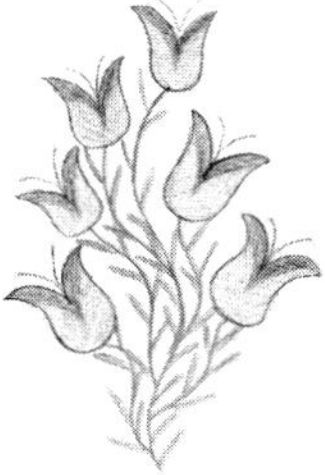

# 命あるものはみな繋がっている

かねてから行ってみたいなあ、と思っている国に南アジアのブータンがある。本などを読むと、ブータンの人たちは、いまだに輪廻転生の世界観の中で生きているそうだ。

たとえば、目の前を野良猫が通りすぎたとしても、ブータンの人は、この猫は何代目かの自分のご先祖の生まれ変わりかもしれないと考えるという。決していじめない。蚊がいても叩いたりしないで、飛んで行くまでじーっと見ている。

目の前の蚊も、足元にいるアリも、もしかすると自分たちの親類だったかもしれない。あるいは亡くなった姉さんかもしれない。

この生き物は、かつて血のつながりがあったものだから自分の目の前に現れたにちがいない……と、こんなふうに考える。命あるものはみな繋がっていて、すべては共生していると考える。だから絶対に殺生しないという。

命とともに行いも繋がっていると考える。生まれ変わった時に、蚊に生まれるか花に生まれるか、何に生まれてくるかは生きている時の行いで決まるという。だから、生きている間は悪いことはしないでいいことをしましょうっていう考え方で暮らしているそうだ。

とてもおもしろい考えだと思う。ぼくたちはすぐに、縁起が良いとか悪いとか、運が良いとか悪いとか言いがちだ。幸せも不幸も、どこかから勝手に来ると思えば、良くないことがあると人のせいにして、「自分だけがなぜこんな目に……」と思ってしまう。でも、目の前の状況は、自分のしたことの結果が巡り巡ってきたものと思うと、しっかり受け止めて、これからは良いことをしていこうと思えるのではないだろうか。

いま良いことをしても、その結果は今日すぐに来るかもしれないし、三代くらい後かもしれない。でもそれは早いか遅いかの違いで、いました行いの結果は必ずあらわれると思うと、前向きになれるのじゃないかな。たとえいま巡り合わせが良くなくても、その分、いま良いことをしていけば、未来は変わっていくかもしれない。

生きとし生けるものの命はみな繋がっている。そう思うと、死は恐ろしいもの、寂しいものではない。一日でも長く生きて、良い結果を残していけば、来世に繋がっていく。そう思うと、毎日にはりが出て、楽しくなる。

せっかく命があるのだから、日々、この地球のさまざまの命のことを思いながら、少しでも良いことをして生きていきたいものだね。

# まだ、たったの三万日しか生きていないんだなあ

よく、千日回峰行をすると、歩く距離は四万キロ近いので、「地球ひと回りしたことになるんですよ」っていわれるの。「阿闍梨さんは二度やったから、地球を二回、回ったんですねえ」っていうの。

そういうふうにいわれると、へえ本当に地球を二回、回ったのかなあって思っちゃうけど、毎日毎日繰り返しているうちに、気がついたらそんな距離になっちゃったっていうだけのことなんだね。急に二〇〇〇日歩いたんじゃなくて、毎日

毎日の積み重ねなんだ。

たとえばぼくは、八二歳になる。じゃあ何日生きてたのかなあと思ってね、こないだ計算してみたんだ。ようやく三万日をちょっと超えるくらいだった。八〇年だっていったって、たったの三万日っきゃ生きていないんだね。

そう思うと、自分たちの命って、本当に短くてはかないものだなあと思うよね。地球が生まれて四十何億年とかっていうでしょう、なかなかイメージがわかないほど途方もないけど、その中の三万日なんていったら、霧や塵までもいかない、ふっと消えてしまいそうなかすかなものだよね。

そんな小さな存在なのに、こうして大きな世の中に送り出していただいたんだから、それこそ地球のため、みんなのためって考えないといかんなって思うの。

こんな大きな地球だって、あと何億年たったら大きな流星が来てなくなっちゃうとか、寿命が尽きるとかいわれている。

こんな小さな存在でも、せっかくこの地球に生を受けたんだから、地球の命がある間に、みんなが楽しく生きていく方法を考えたいなあと思うんだ。一つひとつの命は小さくても、みんなで心を一つにして考えることができたら、やがては大きな力になるんじゃないのかなあって。

八〇年といっても、地球の命に比べたらほんのはかないもの。八十何年生きたからどうの、これまで何をしてきましたのではなくて、大事なのは「いま」。そして「これから」なんだ。いつだって、「いま」何をしてるのか、「これから」何をするかが大切なんだよ。

朝起きて、空気を吸って、今日も目が覚めたなあってなったときにね、さあ何するかなって思って、起きあがらなくちゃ。それが、今を生きているっていうこととちがうかな。

たとえば、若くして亡くなった人の悲しい話を聞く。だけど、その人が一生懸命生きて、世の中の人たちになるほどなあ、っていうような何かを残して亡くなったんだったら、それは素晴らしい。

大きな存在から見れば、一〇年も八〇年もそれほど違いはないのかもしれないよ。だからこそ、何のために生きているのか、何をやって生きているのか。今なんのためにこの場所にいるのか。今何のために息をしているのか、ということを一生懸命考えなくては。とても無駄なことはできない。

だって、だれにとっても、人生はほんのわずかな時間なんだよ。一生懸命、今を大切にして、今をがんばんなかったらいけないのとちがうかな。

聞き手・文／友澤和子
イラスト／石田亜美

協力／株式会社メディアライン　鷹梁恵一
日本マーク印刷株式会社　井之上三郎

**酒井雄哉** さかい・ゆうさい
比叡山飯室谷不動堂長寿院住職。1926年、大阪府生まれ。太平洋戦争時、予科練へ志願し特攻隊基地・鹿屋で終戦。戦後職を転々とするがうまくいかず、縁あって小寺文穎師に師事し、40歳で得度。約7年かけて約4万キロを歩くなどの荒行「千日回峰行」を80年、87年の2度満行。その後も国内や世界各地を巡礼している。

朝日新書
138
一日一生《いちにちいっしょう》

2008年10月30日 第1刷発行
2012年10月30日 第18刷発行

著　者　酒井雄哉

発行者　市川裕一
カバーデザイン　アンスガー・フォルマー　田嶋佳子
印刷所　凸版印刷株式会社
発行所　朝日新聞出版
〒104-8011　東京都中央区築地5-3-2
電話　03-5540-7772（編集）
　　　03-5540-7793（販売）

Published in Japan by Asahi Shimbun Publications Inc.
ISBN 978-4-02-273238-5
定価はカバーに表示してあります。

落丁・乱丁の場合は弊社業務部（電話03-5540-7800）へご連絡ください。
送料弊社負担にてお取り替えいたします。

朝日新書

## 仕事の迷いにはすべて「論語」が答えてくれる

北尾吉孝

仕事、人、組織に関する悩みとその対処法は、すべて『論語』に書かれている。『論語』を座右の書としてきたSBIホールディングスの北尾社長が、ビジネスの要諦に通じる論語の言葉、解釈を自身の経験を交えて紹介する。2500年前の知恵が悩めるビジネスマンを救う。

## 都会の雑草、発見と楽しみ方

稲垣栄洋

街なかで見る「雑草」は、どこかいとおしい。踏まれても生き抜く雑草魂は、つい人生にたとえたくなるが、ちょっと注意深く見ていくと、季節や場所の変化によってじつに面白い展開がある。雑草博士が「雑草の気持ち」になって書いた、植物の知恵が楽しめる本。

## 2013年、世界複合恐慌

### 日米欧 同時インフレが始まる

相沢幸悦

ギリシャ問題に端を発したEUの経済混乱は全世界に広がっている。問われているのは、通貨の信認だ。ユーロ、ドル、円。世界の主要3通貨が互いに絡まり合いながら同時に価値が下がる――21世紀型複合恐慌が、これから始まるのだ。

## ドイツ人住職が伝える禅の教え 生きるヒント33

ネルケ無方

800年たった今でも通用する、禅僧道元の哲学的思想とその教えには、日本人ならではのシンプルで美しい生き方の智恵が詰まっている。禅の名著『正法眼蔵』から、勇気づけられる言葉と、日常に活かせる実践法を、兵庫県安泰寺住職のドイツ人禅僧がわかりやすく説く。

## 池上彰の政治の学校

池上 彰

選挙、国会、政党、官僚制など政治の基礎から、混迷する現在の政局までを、あの池上さんがわかりやすく解説する。ネットと政治、「橋下現象」に象徴されるポピュリズムなど新しい話題も満載。最新の取材をもとに、アメリカ大統領選で民主主義を学ぶ特別授業も充実！

## 松下幸之助は泣いている
### 日本の家電、復活の条件

岩谷英昭

技術では韓国・台湾に、価格では中国に敗北した日本の家電業界。もはや日本の「ものづくり」に未来はないのか。元パナソニック幹部の著者は「松下幸之助の教えに学べば、十分復活できる！」。敗因を分析し、復活へ向けた具体策を提言する。

## 不機嫌な夫婦
### なぜ女たちは「本能」を忘れたのか

三砂ちづる

『オニババ化する女たち』から8年、不機嫌な夫婦が増えている。男女ともに駆り立てられるように働き、セックスする余裕もないほど疲れて、ギスギスする家庭。草食男子も晩婚・非婚の流れも、すべては家庭の問題に直結している。本当に幸せな生活とは何かを鋭く問う。

## 損しない投資信託
初歩から値下がり対策まで

中桐啓貴

銀行で買った投資信託が値下がりし、含み損を抱えたまま困っていませんか。リスクが高い投信は売却し、利益が出るよい投信に買い換えましょう。投資信託の基礎の基礎から長期投資を前提にした「見直し術」まで、一からやさしく指南します。

## グレン・グールド
孤高のコンサート・ピアニスト

中川右介

「演奏態度は最低、演奏は最高」と評された孤高のピアニスト、グレン・グールド。なぜ彼は「コンサートは死んだ」と言い、ステージに上がらなくなったのか。生誕80年、没後30年の今、コンサート・ピアニスト時代の軌跡を追うことでその謎に迫る。

## 消費税、常識のウソ

森信茂樹

消費増税したら「景気が悪くなる」「企業倒産が増える」など、世間が思い込んでいる消費税をめぐる常識が実は誤りであることを、世界の付加価値税を研究している税制の第一人者が解き明かす、目からウロコの消費税論。増税後の財政事情も展望。

## 引き際の美学

川北義則

突然、無責任に辞める首相、「老害」といわれても居座り続ける経営者……日本人は、いつの間に往生際が悪くなったのか。できる人は去り際、散り際、別れ際も潔い。「始めるよりも終わるほうが難しい」と説く著者が引き際の美学を語る。

## お盛んすぎる 江戸の男と女

永井義男

江戸時代はセックスレスとは無縁だった。15〜16歳で初体験を済ませ、夫婦になったら毎晩いろいろな体位を楽しむ。密通も日常茶飯事で、女郎買いにもおおらかな社会。江戸の性生活を、素人の部と玄人の部に分けて、浮世絵も交えてしっぽり解説。